まちごとインド
北インド004

ニュー・デリー
15億人へ向かうインドの「首都」
［モノクロノートブック版］

JN122297

インド政治や外交の舞台となってきた首都ニュー・デリーは、イギリス植民地下の20世紀初頭、インド帝国の首都として造営された。緑地や公園が配されるなど、ここではゆったりとした街並みが広がっている。

　近代、インドを統治したイギリスの拠点はもともとコルカタにおかれてきたが、1857年の大反乱鎮圧以後、それまでムガル宮廷があったデリーへの遷都が決まった。こうしてヴィクトリア女王を君主にいただくインド帝国の都ニュー・デリー（新しいデリー）の造営がはじまっ

たが、完成後、わずか16年でインドはイギリスから独立することになった。

　1947年以来、新生インドの首都となったニュー・デリーでは、中心に大統領官邸が位置し、そこから「王の道（ラージパトゥ）」がインド門へいたり、その先には古い城砦プラーナ・キラが残っている。ここは伝説の古都インドラプラスタがあったところだとされ、ほかにも中世の遺跡群をとりこむようにニュー・デリーの街は構成されている。

まちごとインド｜北インド 004

ニューデリー

15億人へ向かうインドの「首都」

Asia City Guide Production
North India 004
New Delhi

नई दिल्ली / ਨਵੀਂ ਦਿੱਲੀ / نئی دہلی

『アジア城市（まち）案内』制作委員会
まちごとパブリッシング

Contents

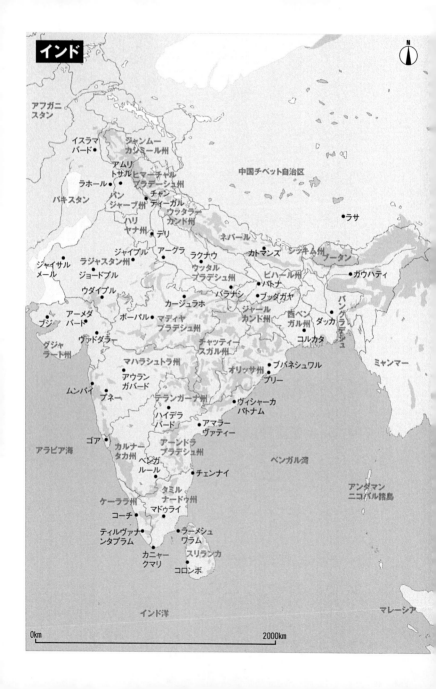

Introduction
影響力を増す大国の首都

インドの首都ニュー・デリー
整然と走る道路や街路樹
西欧を思わせる気品ある街並みが広がる

拡大を続けるデリー首都圏

21世紀の早い段階で中国を抜いて、世界最大の人口を抱える超大国になると見られているインド。その大国の首都がここにおかれ、大統領官邸や国会議事堂が立つニュー・デリーはインド政治や外交の中枢となっている。急速に増大するインドの人口を映すように、ニュー・デリーから郊外へと拡大を続け、デリー近郊のグルグラム(グルガオン)やノイダをも飲み込む都市へと成長した。そこでは外国籍企業が積極的に進出し、高層マンションではインド人富裕層の生活が見られる。それらの衛星都市へはニュー・デリーから地下鉄が伸び巨大なデリー首都圏を形成している。

古さと新しさが交わる街

ジャムナ河のほとりのプラーナ・キラは、古代叙事詩『マハーバーラタ』に描かれた「古(いにしえ)の都」インドラプラスタがおかれたところだと考えられている。その後、16世紀のスール朝がここに都を構え、やがてスール朝に代わってムガル帝国のフマユーン帝がデリーに入城した。こうした歴史を基層にもつニュー・デリーには、ター

ジ・マハルのモデルになったと言われるフマユーン廟や
ローディー廟、イスラム教の布教につとめたニザームッ
ディーン廟など中世の遺構が点在し、そのうえにイギリ
スによる都市計画が進められた。そのため放射状に伸び
る街路や緑地のなかに遺跡が残る古さと新しさが交わる
街となっている。

ニュー・デリーの構成

　ジャムナ河西岸に展開するニュー・デリーの街。
ニュー・デリー駅の北東側がムガル帝国以来の都オール
ド・デリーで、駅西側に旅行代理店やホテルが集まるパ
ハール・ガンジ、カロル・バーグが位置する。またニュー・
デリー駅南のコンノート・プレイスは街の起点になる商
業エリアで、そこから南にジャン・パトゥが伸びる。街の
中心にあたる東西の軸ラージ・パトゥが大統領官邸から
インド門に伸び、その周囲には国会議事堂や官庁街、博物
館など公的機関がならぶ。またニュー・デリー南部には
カーン・マーケットをはじめとするショッピング・モール
も見られる。これらの街をリング・ロードが大きくとり囲
み、南西側のチャナキャプリは大使館街となっている。

美しい街並みを見せるニュー・デリー中心部

リキシャ、バイク、車、人が織りなす猛烈な交通量

ナンはかまどで焼かれる

世界中から旅人が集まるパハール・ガンジ

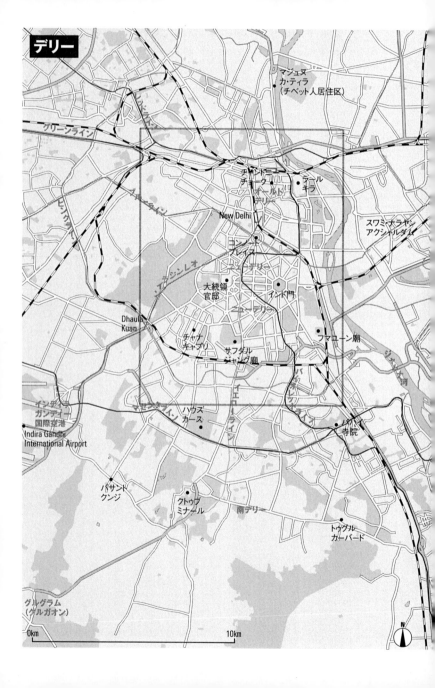

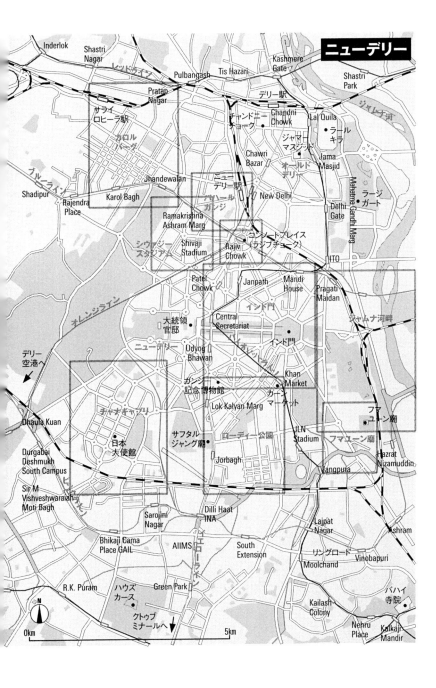

New Delhi R.S.
ニューデリー駅城市案内

喧騒のニュー・デリー駅
旅人が旅装をとくパハール・ガンジ
円形のロータリー、コンノート・プレイスへ

ニュー・デリー駅 ★☆☆

New Delhi R.S.／ⓗ नई दिल्ली रेलवे स्टेशन／ⓐ ਨਵੀਂ ਦਿੱਲੀ ਰੇਲਵੇ ਸਟੇਸ਼ਨ
ⓤ نی دہلی ریلوے اسٹیشن

　インド各地への玄関口にあたるニュー・デリー駅。イ
ギリス植民地時代から敷設が進んだ鉄道網をもつイン
ドは、世界第2位の鉄道大国と言われ、ここからムンバイ、
アーグラ、バラナシ、コルカタなどへ線路が伸びている。
またニュー・デリー駅は、他の街からデリーを訪れた人が
第一歩を踏み出す場所で、構内は早朝から人であふれ、客
引きをはじめとする人々が押し寄せてくる。

パハール・ガンジ(メイン・バザール) ★★★

Pahar Ganj／ⓗ पहाड़गंज／ⓐ ਪਹਾੜ ਗੰਜ (ਮੁੱਖ ਬਜ਼ਾਰ)／ⓤ پہاڑ گنج

　ニュー・デリー駅の西側に位置するパハール・ガンジ
(「山の市場」を意味する)。ニュー・デリー駅そばの立地や駅を
越えてオールド・デリーへ続く利便性から、多くの旅行者
が集まるようになった。パハール・ガンジの目抜き通りが
メイン・バザールで、旅行代理店、安宿、レストランなどが
ならぶ。またメイン・バザールの北側を東西に走るアラカ
シャン・ロードには高級ホテルや中級ホテルが軒を連ね
ている。

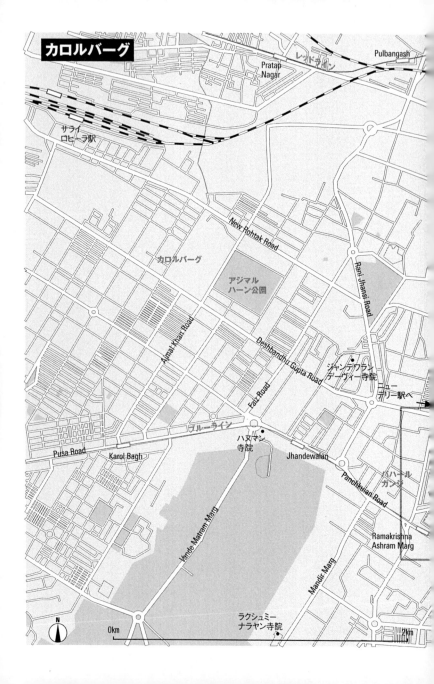

カロルバーグ

Pratap
Nagar

レッドライン

Pulbangash

サライ
ロヒーラ駅

New Rohtak Road

カロルバーグ

アジマル
ハーン公園

Rani Jhansi Road

Ajmal Khan Road

Deshbandhu Gupta Road

Faiz Road

ジャンデワラン
デーヴィー寺院

ニュー
デリー駅へ

ブルーライン

Pusa Road

Karol Bagh

ハヌマン
寺院

Jhandewalan

パハール
ガンジ

Panchkuian Road

Vande Matram Marg

Mandir Marg

Ramakrishna
Ashram Marg

N

0km

ラクシュミー
ナラヤン寺院

2km

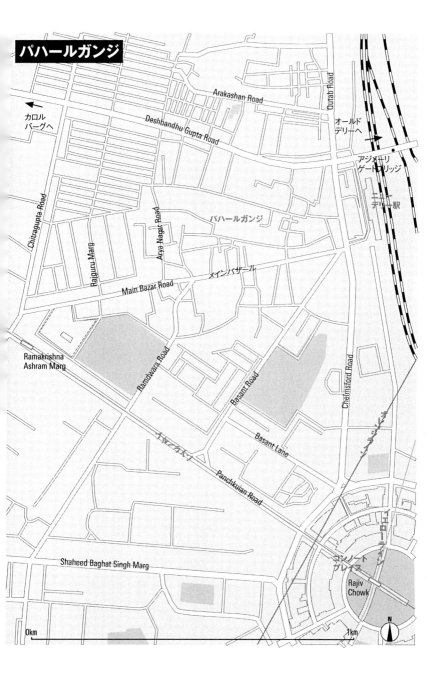

パハールガンジ

Arakashan Road

Qutab Road

カロル
バーグへ

Deshbandhu Gupta Road

オールド
デリーへ

Chitragupta Road

アジメーリ
ゲートブリッジ

Rajguru Marg

Arya Nagar Road

パハールガンジ

ニュー
デリー駅

メインバザール

Main Bazar Road

Ramakrishna
Ashram Marg

Ramdwara Road

Basant Road

Chelmsford Road

Basant Lane

Basant Road

Panchkuian Road

コンノート
プレイス

Shaheed Baghat Singh Marg

Rajiv
Chowk

イエローライン

0km

1km

N

カロル・バーグ ★☆☆

Korol Bagh　ⓗ करोल बाग　ⓝ ਕਰੋਲ ਬਾਗ／ⓤ کرول باغ

　カロル・バーグはパハール・ガンジのさらに西側のエリア。20世紀初頭のニュー・デリーの建設、1947年の印パ分離独立を受けて、この街に流入した人々が暮らすようになり、現在は地元の人向けの商業街となっている。また超巨大なハヌマン寺院が位置する。

ジャンデワラン・ハヌマン寺院 ★★☆

Jhandewalan Hanuman Temple／ⓗ झंडेवालान हनुमान मंदिर／
ⓝ ਹਨੂਮਾਨ ਮੰਦਿਰ／ⓤ ہنومان مندر

　ジャンデワラン駅とカロル・バーグ駅のあいだに立つ、超巨大なハヌマン像で知られるジャンデワラン・ハヌマン寺院。ハヌマン神は『ラーマーヤナ』でラーマ王子を助ける神猿で、赤の身体、黄金の冠のハヌマン像は高さ33mになる。悪魔の開いた口が寺院の入口となっていて、ハヌマン神のまつられた寺院内部へと進む。2007年に完成した。

ジャンデワラン・デーヴィー寺院 ★☆☆

Jhandewala Devi Tample　ⓗ झंडेवाला देवी मंदिर／
ⓝ ਝੰਡੇਵਾਲਾ ਦੇਵੀ ਮੰਦਿਰ／ⓤ جھنڈی والا دیوی مندر

　パハール・ガンジの一角に立つヒンドゥー寺院のジャンデワラン・デーヴィー寺院。18世紀後半にこの寺院が建

てられたとき、あたりには鳥や動物が生息するアラヴァ
リ山系の丘が広がっていた。当時、チャンドニー・チョウ
クの商人バドリダースは、このあたりをときおり訪れ、瞑
想していた。するとあるとき、自身の信仰するヴィシュ
ノ・デーヴィー（女神、ジャンデワラン・デーヴィー）の銅像を発見
し、ここに寺院が建てられることになった。寺院はデリー
市街の拡大とともに、パハール・ガンジ、カロル・バーグと
いった市中にとりこまれ、1944年、バドリダースの子孫
たちによって正式な寺院となった。シカラ屋根をもつ寺
院の中央に、女神像がまつられている。

Connaught Place

コンノートプレイス城市案内

ニュー・デリーへの北側からの
入口となる商業地コンノート・プレイス
ここから道は放射状に伸びる

コンノート・プレイス ★★★

Connaught Place／ⓣ कनॉट प्लेस ／ⓗ कनॉट प्लेस ／ⓤ کناٹ پلیس

　円形の道路が三重に走り、「ハート・オブ・デリー（デリーの中心）」とも呼ばれるコンノート・プレイス。イギリス風のプランをもとにつくられていて、この円形ロータリーでは信号がなくても車両がとどこおりなく進むことができる。1930年代に建てられた2階建てのイギリス風の建物がぐるりと続き、レストラン、カフェ、銀行、書店、衣料店など3000もの店舗が集まる。中央のセントラル公園では人々がくつろぐ姿が見えるほか、アーケード状の商店街では、インド人の若者などでにぎわっている（かつてニュー・デリーを代表する商業エリアだったが、現在は郊外に数々のショッピング・モールが立ち、観光地化されるようになった）。

ニュー・デリーの都市計画

　ニュー・デリーの街は、イギリスによる緻密な計画のもと造営された（18〜20世紀の200年間インドはイギリスの統治を受けた）。ニュー・デリーの都市プランでは、大統領官邸からプラーナ・キラへ直線の大通りラージ・パトゥ（王の道）が敷かれ、この通りとジャン・パトゥ（民の道）が直角に交わる。ジャン・パトゥ（民の道）北側には商業地コンノート・

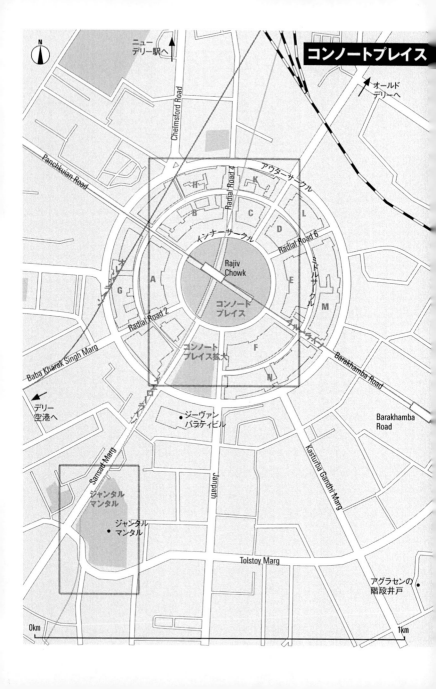

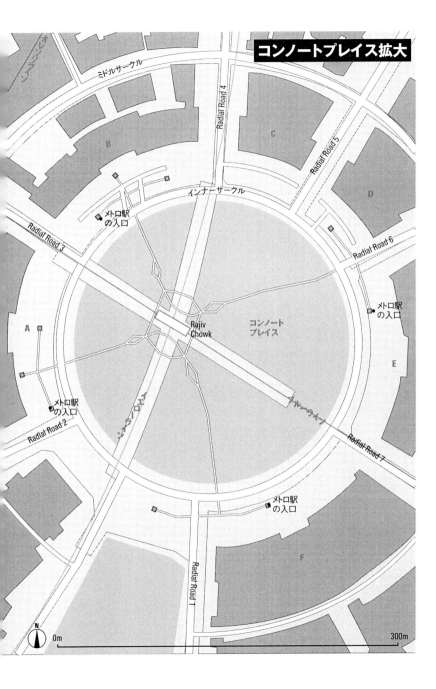

プレイスが配置され、そこから道は放射状に伸びており、この円形ロータリーと直線道路の組み合わせがニュー・デリーの基本となっている。またマラリアなどの衛生面が充分に配慮され、オールド・デリーとのあいだには空き地がもうけられるなどの工夫がされていた。1920年代なかばから人が集住し、1930年ごろには首都機能が整うようになった。完成後、すぐにインドへ渡されることになったニュー・デリーは「大英帝国から新生インドへの贈りもの」と言われている。

ジーヴァン・バラティ・ビル ★☆☆

Jeevan Bharti Building ⓣजीवन भारती इमारत／ⓗजीवन ਭਾਰਤੀ ਭਵਨ／ⓤ بهارتی بلڈنگ

　コンノート・プレイスの南側に立つ巨大なジーヴァン・バラティ・ビル。ガラスのカーテン・ウォールにおおわれた複数の建物がそびえるように立ち、オフィスが入居している(あたりはオフィス街となっている)。

ジャンタル・マンタル(天文観測所) ★★☆

Jantar Mantar ⓣजंतर मंतर／ⓗਜੰਤਰ-ਮੰਤਰ／ⓤ جنتر منتر

　ムガル帝国の1724年に、ジャイプル(ラジャスタン)のマハラジャ・ジャイ・シン2世によって建てられた天文観測所ジャンタル・マンタル。太陽や月の動きを見て暦をつくり、正確な時間を測ることは洋の東西を問わず行なわれてきた。ジャイ・シン2世はイスラム、西欧の天文学にも関心をもち、デリーのジャンタル・マンタルで最新の天文計

街角のサンドイッチ屋さん

ジャンタルマンタル

ミスラ
ヤントラ

サムラートヤントラ
（日時計の王様）

ジャンタル
マンタル

ジャイプラカーシュヤントラ
（天体の赤道座標と地平座
標をはかるための機器）

ラムヤントラ
（太陽の高度と方位を
はかる観測機）

Sansad Marg

Tolstoy Marg

0m   100m

N

算表がつくられた。太陽の位置から時刻を知らせる日時計、天体を観測する三角形や円筒形の特異な建造物が見られ、ジャイプル（世界遺産）、ウッジャイン、マトゥラー、バラナシなどにも同様のジャンタル・マンタルが見られる。

アグラセンの階段井戸 ★★☆

Agrasen ki Baoli ／ⓗ अयसेन की बावली　ⓗ अगरासेन पॅडी／
ⓤ اگرسین کی باؤلی

　コンノート・プレイス近くに位置するアグラセンの階段井戸。四層からなる地下建築で、60m奥の井戸底へ階段が続いていく（どの水位でも水を汲めるようになっている）。乾燥した北インドや西インドでは、雨季の水が階段井戸に保存され、このアグラセンの階段井戸はデリー・サルタナット朝時代の14世紀に造営された。

★★☆
ジャンタル・マンタル（天文観測所） *Jantar Mantar*

白のイギリス風建築が見られるコンノート・プレイス

シヴァジースタジアム城市案内

コンノート・プレイスから西
ヒンドゥー教やシク教寺院のほか
エアポート・メトロ駅シヴァジースタジアムが位置する

バングラ・サーヒブ寺院 ★★☆
Gurudwara Bangla Sahib／Ⓣ ਗੁਰਦੁਆਰਾ ਬੰਗਲਾ ਸਾਹਿਬ
Ⓝ ਬੰਗਲਾ ਸਾਹਿਬ ਮੰਦਿਰ　Ⓤ بنگلہ صاحب مندر

　バングラ・サーヒブ寺院はヒンドゥー教とイスラム教を融合させたシク教寺院で、白の建物のうえに金のドームが載る。17世紀の第8代グル・ハルクリシャンがデリー滞在時に利用した場所で、デリー最大のシク教寺院となっている。

カーリー寺院 ★☆☆
Kali Mandir／Ⓣ ਕਾਲੀ ਮੰਦਿਰ／Ⓝ काली मंदिर　Ⓤ کالی مندر

　シヴァ神の妻パールバティー女神の恐ろしい姿であるカーリー女神がまつられたカーリー寺院。ベンガル地方を中心に信仰を集め、カーリー女神が黒の肌をもつのは、土着の民間信仰の伝統からだという。

ラクシュミー・ナラヤン寺院 ★★☆
Lakshmi Narayan Mandir／Ⓣ लक्ष्मी नारायण बिरला मंदिर
Ⓝ ਲਕਸ਼ਮੀ ਨਾਰਾਇਣ ਮੰਦਿਰ／Ⓤ لکشمی نارائن مندر

　コンノート・プレイス西に立つラクシュミー・ナラヤン寺院。1938年、インドの首都がコルカタからデリーに遷されたことを受けて、ビルラー財閥の寄進で建てられた

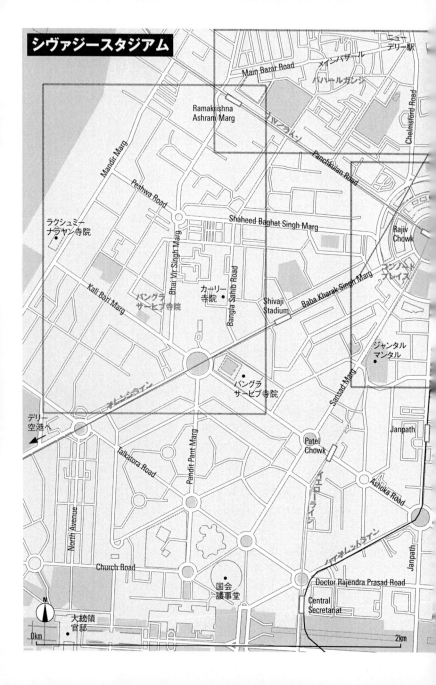

シヴァジースタジアム

ニュー
デリー駅
Main Bazar Road メインバザール
パハールガンジ
Chelmsford Road

Ramakrishna
Ashram Marg

パルグラム

Panchkuian Road

Mandir Marg

Peshwa Road

Shaheed Baghat Singh Marg

Rajiv
Chowk

ラクシュミー
ナラヤン寺院

Bhai Vir Singh Marg

Bangla Sahib Road

カーリー
寺院

Shivaji
Stadium

Baba Kharak Singh Marg

コンノート
プレイス

Kali Bari Marg

バングラ
サービブ寺院

ジャンタル
マンタル

オレンジライン

バングラ
サービブ寺院

デリー
空港へ

Sansad Marg

Talkatora Road

Pandit Pant Marg

Patel
Chowk

Janpath

Ashoka Road

North Avenue

Church Road

国会
議事堂

Doctor Rajendra Prasad Road

バイオレットライン

Janpath

大統領
官邸

Central
Secretariat

N

0km   2km

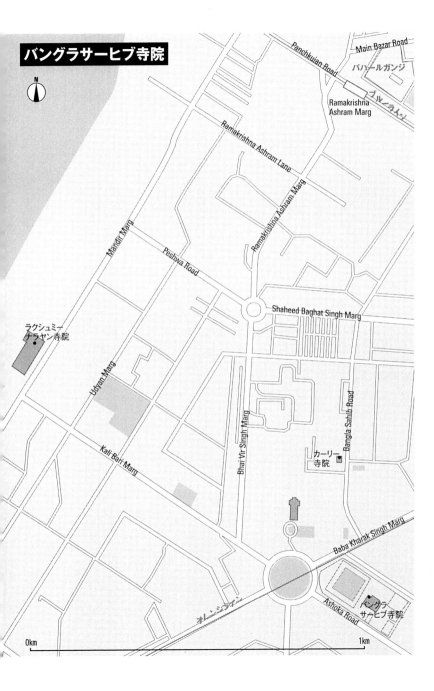

ことからビルラー・テンプルの愛称で呼ばれる。富の女神ラクシュミーとその夫ナラヤン神のほかブッダ（ヴィシュヌ神の化身）などがまつられている。ビルラー財閥ガンジャームダース・ビルラーの意図のもと、他のヒンドゥー寺院が不可触民をこばむなか、この寺院は建立当初から幅広い人々を受け入れてきた。

ニュー・デリー／15億人へ向かうインドの「首都」

金色の屋根を載せるシク教のバングラ・サーヒブ寺院　　　ヴィシュヌ神をまつるラクシュミー・ナラヤン寺院

インド門城市案内

インド門とそれに向きあうように立つ大統領官邸
両者を結ぶようにラージパトゥが走り
インドの心臓部となっている

大統領官邸 ★☆☆

Rashtrapati Bhavan／ⓗ राष्ट्रपति भवन

ⓝ राष्ट्रपती महिल राष्ट्रपती भवन／ⓤ رَاشْتَرَپَتِی مَحَلّ

　ラージ・パトゥの西端、小高い丘ライシナー丘陵に位置
する大統領官邸(ラシュトラパティ・バワン)。周囲には政庁舎、
国会議事堂(サンサッド・バワン)などがならび、インド政治の
中枢部を構成している。もともとここはイギリスのイン
ド総督府の官邸として建てられたもので、設計者ラチェ
ンズの西欧式とムガル様式を折衷した意図が見られ、近
くにはムガル様式の庭園も備えられている。

大統領と首相

　イギリス統治時代の影響を残すと言われるインドの政
治体制。もともと大統領官邸(ラシュトラパティ・バワン)はイギ
リス統治時代にインド副王の宮廷として建てられた経緯
をもつ。インドでは大統領は共和国の元首にあたり、政治
などの実権は首相にある。「共和国の日(1月26日)」「独立
記念日(8月15日)」「ガンジー生誕日(10月2日)」という国
が定める3つの祝日のなか、国民を主権者とする国民国家
となった「共和国の日」に大統領を中心にラージ・パトゥ
で盛大な式典が行なわれる(また独立記念日にラール・キラで首相

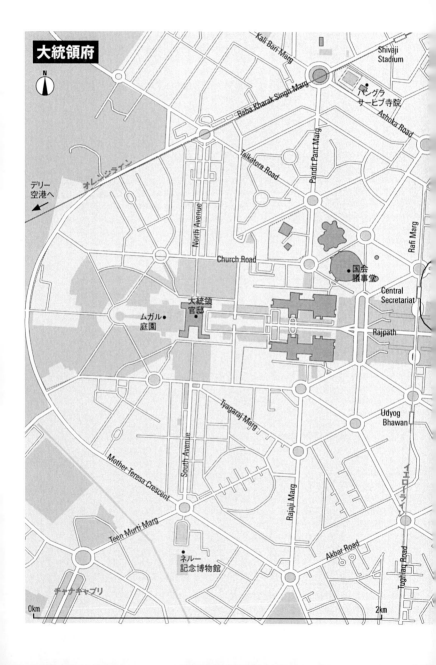

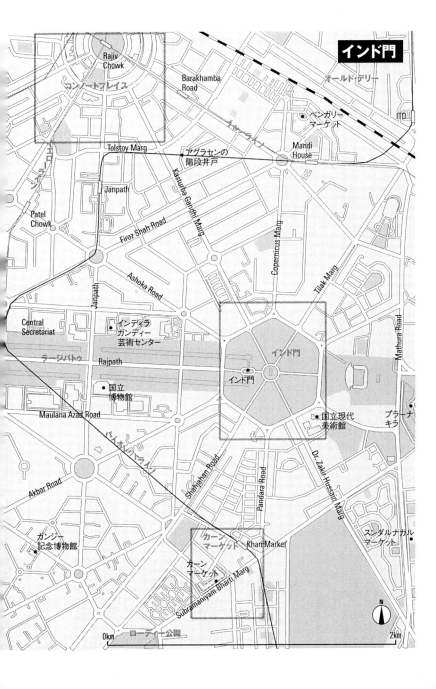

インド門

Rajiv Chowk
Barakhamba Road
オールド・デリー
コンノートプレイス
ITO
ベンガリー マーケット
Tolstoy Marg
アグラセンの 階段井戸
Mandi House
Janpath
Kasturba Gandhi Marg
Firoz Shah Road
Patel Chowk
Copernicus Marg
Tilak Marg
Ashoka Road
Janpath
Mathura Road
Central Secretariat
インディラ ガンディー 芸術センター
インド門
ラージパトゥ　Rajpath
インド門
国立 博物館
国立現代 美術館
プラーナ キラ
Maulana Azad Road
バイオパトゥ
国立現代 美術館
Akbar Road
Shahjahan Road
Pandara Road
Dr. Zakir Hussain Marg
スンダルナガル マーケット
ガンジー 記念博物館
カーン マーケット　Khan Market
カーン マーケット
Subramaniyam Bharti Marg
N
0km　ローディー公園　2km

を中心に式典が行なわれる)。

国会議事堂 ★☆☆
Parliament House／ⓣ संसद भवन／ⓗ संसद भवन／ⓤ پارلیمنٹ ہاؤس

　　ニュー・デリー中心部に立ち、インドの国会が開かれる
国会議事堂(サンサッド・バワン)。周囲に144本の柱をめぐら
せる円盤状のプランをもち、中央にドームを載せる円形
の建物が立つ。周囲にはラシュトラパティ・バワンやイン
ドの官僚機構が集まる。

ラージ・パトゥ ★☆☆
Rajpath／ⓣ राजपथ／ⓗ राजपथ／ⓤ راج پتھ

　　ラージ・パトゥはニュー・デリーの軸にあたる大通り
で、大統領官邸からインド門に向かって伸びる。幅140m
長さ3.5kmの通りの両脇にはインドの国会議事堂、国立博
物館などがならんでいる。インド共和国の憲法施行の記
念日にあたる1月26日には、ここラージ・パトゥで盛大な
パレードが行なわれる。この道は途中、ジャン・パトゥ (民

★★★
インド門 India Gate
コンノート・プレイス Connaught Place
★★☆
国立博物館 National Museum
カーン・マーケット Khan Market
ローディー公園 Lodi Garden
ガンジー記念博物館 Gandhi Smriti Museum
プラーナ・キラ Purana Qila
バングラ・サーヒブ寺院 Gurudwara Bangla Sahib
★☆☆
国会議事堂 Parliament House
ラージ・パトゥ Rajpath
インディラ・ガンディー芸術センター Indira Gandhi National Centre for the Arts
国立現代美術館 National Gallery of Modern Art
ベンガリー・マーケット Bengali Market
スンダルナガル・マーケット Sunder Nagar Market
アグラセンの階段井戸 Agrasen ki Baoli
ネルー記念博物館 Nehru Museum
チャナキャプリ Chanakyapuri

の道）と直交していて、政府と民が交わる象徴とも考えられている（イギリス統治時代はそれぞれキングス・ウェイ、クイーンズ・ウェイと呼ばれていた）。

国立博物館 ★★☆

National Museum ／ⓣ राष्ट्रीय संग्रहालय　ⓐ ਰਾਸ਼ਟਰੀ ਅਜਾਇਬ ਘਰ ／
ⓤ قومی عجائب گهر

　ラージ・パトゥとジャン・パトゥが交差する地点に位置する国立博物館。1949年に完成し、古代インダス文明遺跡から出土したテラコッタ像、現在インドの国旗にも描かれているアショカ王の柱頭の獅子彫刻、仏教芸術の至宝バールフットの欄楯、ガンダーラやマトゥラー美術を花開かせたクシャン朝時代の仏像、グプタ朝時代の柔和なヒンドゥー彫刻などが見られる。そのほかにもムガル美術やラージプート絵画などインド史に残る傑作美術が網羅的に展示してある。

インディラ・ガンディー芸術センター ★☆☆

Indira Gandhi National Centre for the Arts　ⓣ इंदिरा गांधी राष्ट्रीय कला केन्द्र
ⓐ ਇੰਦਰਾ ਗਾਂਧੀ ਨੈਸ਼ਨਲ ਸੈਂਟਰ ਫਾਰ ਦੀ ਆਰਟਸ ／ⓤ اندرا گاندھی نیشنل سینٹر فار آرٹس

　インディラ・ガンディー芸術センターは、ネルーの娘でインド首相にもなったインディラ・ガンディーが暮らしていた住居跡で、身のまわりの日常品などが展示されている。なかには首相がシク教徒に暗殺されたときに着ていた血のついたサリーもあり、また庭園のガラスの銘板には血痕が残っている。

インド門 ★★★

India Gate　ⓣ इण्डिया गेट ／ⓐ ਇੰਡੀਆ ਗੇਟ ／ⓤ انڈیا گیٹ

　ニュー・デリー中心部にそびえる高さ42mのアーチ型のインド門。1931年に完成したこの門から放射状に道路が伸び、デリーを象徴する建造物となっている。第一次世

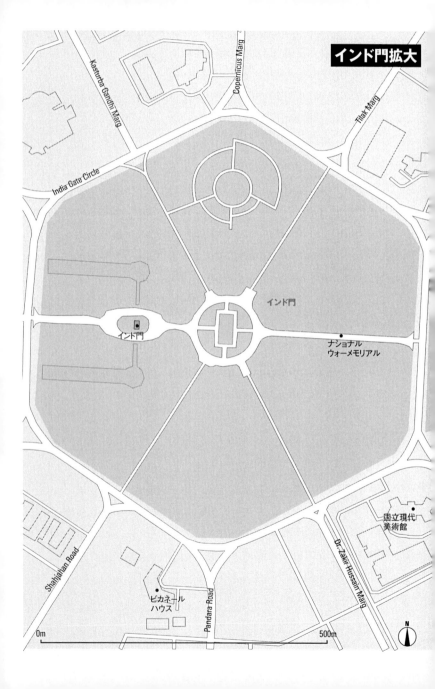

インド門拡大

Kasturba Gandhi Marg
Copernicus Marg
Tilak Marg
India Gate Circle
インド門
インド門
ナショナル
ウォーメモリアル
Shahjahan Road
Pandara Road
Dr. Zakir Hussain Marg
国立現代
美術館
ビカネール
ハウス

0m
500m

N

界大戦を宗主国イギリスのために戦い、生命を落とした
10万人近いインド兵を追悼するために建てられたもの
で、戦没者の名前が刻まれている（1947年まで、インドはイギリスの植民地で、戦争協力を強いられた）。

国立現代美術館 ★☆☆
National Gallery of Modern Art ／Ⓗ राष्ट्रीय आधुनिक कला संग्रहालय
Ⓐ नैशनल गैलरी ऑफ़ मॉडर्न आर्ट ／Ⓤ جدید آرٹ کا قومی غیابہ گھر

　インド門のそばに立つ国立現代美術館（NGMA）。彫刻や
ラージプート絵画などの近代美術、現代美術が展示され
ている。ドームをいただくこの建物は、ジャイプルのマハ
ラジャがデリー滞在中の別荘としていたところで、ジャ
イプル・ハウスの名前で親しまれている。

ベンガリー・マーケット ★☆☆
Bengali Market ／Ⓗ बंगाली मार्केट　Ⓐ बेंगाली मारकेट／Ⓤ بنگالی مارکیٹ

　お菓子や甘いものをあつかう店がならぶベンガリー・
マーケット。1930年代にオープンして以来、家族連れな
どデリー市民に親しまれ、周囲には店舗、サロン、劇場な
どが集まっている。コンノート・プレイスの東に位置す
る。

夜、インド門はライトアップされる

大統領官邸からインド門へ続くラージ・パトゥ

映画はインド人にとって最大の娯楽のひとつ

クリシュナ神の彫像、国立博物館にて

ジャムナ河畔城市案内

古い城砦プラーナ・キラ
美しい姿を見せる世界遺産のフマユーン廟
ジャムナ河畔に残る遺構

プラーナ・キラ ★★☆

Purana Qila ⓗ पुराना किला ／ⓝ ਪੁਰਾਣਾ ਕਿਲਾ ／ⓤ پرانا قلعہ

　プラーナ・キラはムガル帝国第2代フマユーン帝の時代に着工し、その後、ムガルを一時ペルシャへ退却させたスール朝のシェール・シャーの時代に造営が続いたデリー第6の都で、ムガル王城ラール・キラに対して「古い城砦(プラーナ・キラ)」という名前で呼ばれる。ビハールの領主から頭角を現し、フマユーン帝を破って北インドを支配下においたシェール・シャーはここを中心に広大な首都圏の造営を構想していた。結局、シェール・シャーは不意の事故で生命を落とし、再び、デリーはフマユーン帝のものとなってプラーナ・キラに宮廷を構えることになった。考古学博物館が併設されている。

シェール・マンディル ★☆☆

Sher Mandel ／ⓗ हुमायूँ का पुस्तकालय ／ⓝ ਸ਼ੇਰ ਮੰਡਲ ／ⓤ شیر منڈل

　プラーナ・キラに立つ八角形のシェール・マンディル。ムガル帝国フマユーン帝の時代は図書館として利用され、1556年、フマユーン帝は薬物使用中にここの階段から滑り落ち、その生涯を終えている(フマユーン帝死後、アクバル帝の時代にアーグラに新たな宮廷が築かれ、遷都された)。

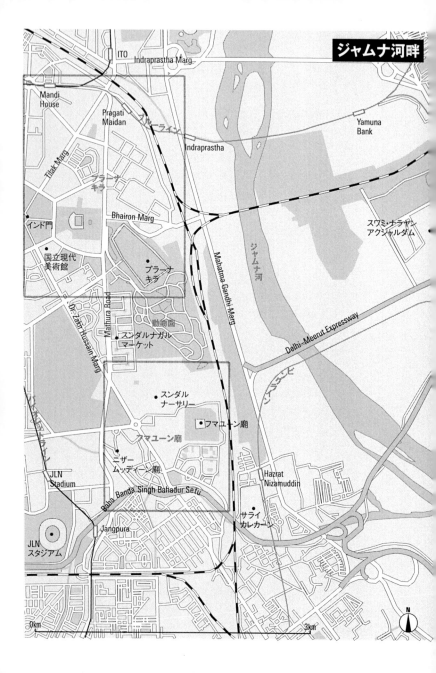

ITO
Indraprastha Marg
Mandi House
Pragati Maidan
ブルーライン
Yamuna Bank
Indraprastha
Tilak Marg
プラーナ キラ
スワミ・ナラヤン アクシャルダム
インド門
Bhairon Marg
国立現代美術館
プラーナ キラ
Mahatma Gandhi Marg
ジャムナ河
Dr. Zakir Hussain Marg
Mathura Road
動物園
スンダルナガル マーケット
Delhi-Meerut Expressway
ノイダリンク
スンダル ナーサリー
フマユーン廟
フマユーン廟
ニザームッディーン廟
Hazrat Nizamuddin
JLN Stadium
Baba Banda Singh Bahadur Setu
サライ カレカーン
Jangpura
JLN スタジアム

0km   3km

N

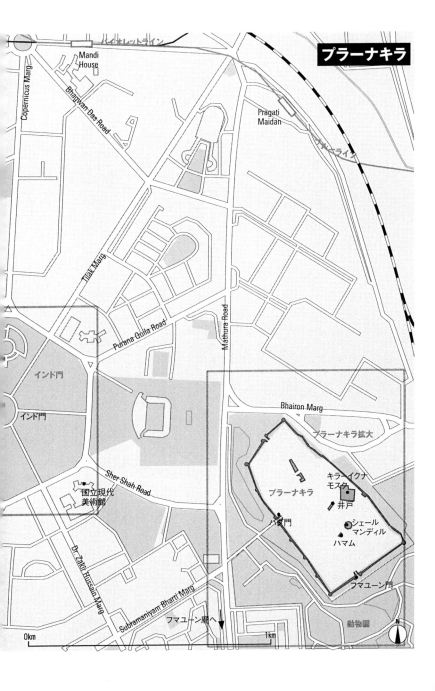

プラーナキラ

Mandi
House

バイオレットライン

Copernicus Marg

Bhagwan Das Road

Pragati
Maidan

ブルーライン

Tilak Marg

Purana Quila Road

Mathura Road

インド門

インド門

Sher Shah Road

国立現代
美術館

Dr. Zakir Hussain Marg

Subramaniyam Bharti Marg

フマユーン廟へ

Bhairon Marg

プラーナキラ拡大

キラーイクナ
モスク

プラーナキラ

井戸

シェール
マンディル

バダ門

ハマム

フマユーン門

動物園

N

0km   1km

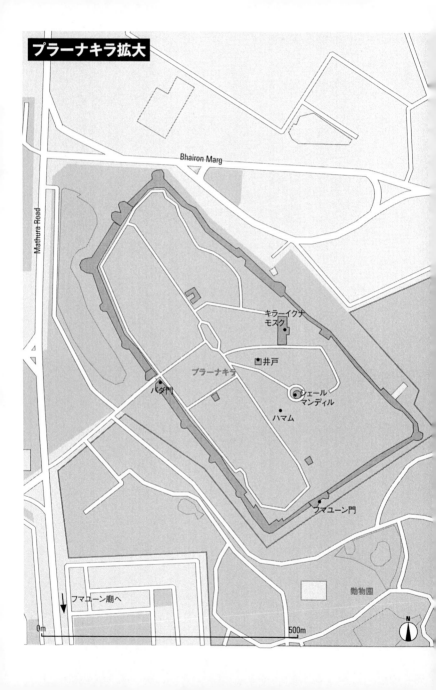

プラーナキラ拡大

Bhairon Marg

Mathura Road

キラーイクナ
モスク

井戸

プラーナキラ

バダ門

シェール
マンディル

ハマム

フマユーン門

フマユーン廟へ

動物園

0m   500m

N

キラーイ・クナ・モスク ★☆☆

Qila-i-Kuhuna Masjid／ⓗ मस्जिद किला पे कोहना／
Ⓐ किला-ए-कुतना मस्जिद／ⓤ مسجد قلعہ کہنہ

　ムガル帝国の黎明期にフマユーン帝をペルシャへ追い
やって、スール朝を樹立したシェール・シャーによるモス
ク。1541年の建立で、美しいミフラーブが残る。

ムガル帝国とスール朝

　ムガル帝国成立以前、デリーにはアフガン系ロー
ディー朝(1451〜1526年)があった。この王朝のもと、アフガ
ン部族が多くインドへ移住していたが、シェール・シャー
の部族もそうしたひとりだった。ビハールの一領主か
らムガル第2代フマユーン帝を破り、シェール・シャーの
スール朝は一時、北インド全域を支配した。街道の整備、
税制の改革などの政策はのちのムガル第3代アクバル帝
に受け継がれたと言われ、インド史上の名君に数えられ
る(1545年、シェール・シャーが急死し、再びムガルの時代になった)。

古代叙事詩が伝えるインドラプラスタ

　インドラプラスタはバーラタ族の一大決戦が描かれた

インドの国民的叙事詩『マハーバーラタ』ゆかりの都で、現在のプラーナ・キラに推定されている(『マハーバーラタ』で描かれた決戦は、デリー北方のクルクシェートラで実際に行なわれた)。この戦いは紀元前10世紀ごろに実際にあった史実だとされ、勝利したパーンダヴァ族はインドラプラスタに入城し、ここを拠点にインド全土を支配するようになったという(英雄アルジュナはこの都でクリシュナの妹スバドラーと結婚式をあげている)。『マハーバーラタ』は「バーラタ族の戦争を語る大史詩」を意味し、インド人は自らの国をバーラタ(の子孫)と呼ぶ。

スンダルナガル・マーケット ★☆☆

Sunder Nagar Market ⓗ सुंदर नगर मार्केट ⓟ ਸੁੰਦਰ ਨਗਰ ਮਾਰਕੀਟ
ⓤ سندر نگر مارکیٹ

　インド門南東のマトゥラー道路沿いに位置するスンダルナガル・マーケット。アンティーク、手工芸品など扱う店舗がならぶほか、アート・ギャラリーも見られる。

動物園 ★☆☆

National Zoological Gardens／ⓗ चिड़ियाघर／
ⓟ ਰਾਸ਼ਟਰੀ ਚਿੜੀਆ ਗਾਰਡਨ／ⓤ چڑیا گھر

　プラーナ・キラとフマユーン廟のあいだの広大な敷地をもつデリー動物園。ホワイトタイガー、サイ、象、鹿といった南アジアの亜熱帯に生息する動物を見ることができる。このあたりはジャムナ河に近く、豊かな緑が広がっている。

スンダル・ナーサリー ★☆☆

Sunder Nursery ⓗ सुंदर नर्सरी ⓟ ਸੁੰਦਰ ਨਗਰ／ⓤ سندر نرسری

　南側にフマユーン廟、北側に動物園が位置する、広大な緑地をもつスンダル・ナーサリー。ナーサリーとは「苗床」の意味で、20世紀初頭のニュー・デリー建設とともに、イ

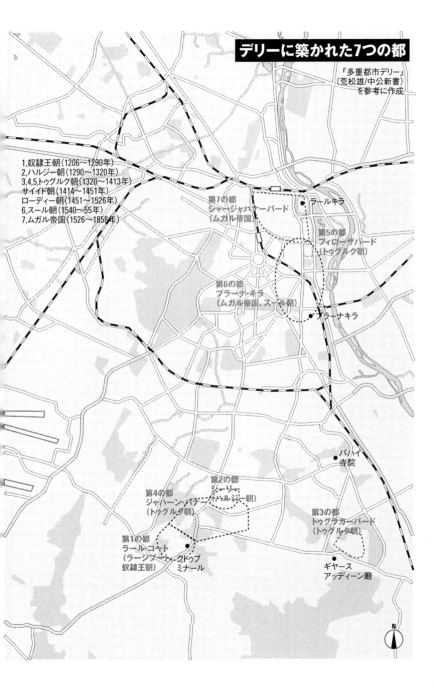

デリーに築かれた7つの都

『多重都市デリー』
（荒松雄/中公新書）
を参考に作成

1,奴隷王朝（1206〜1290年）
2,ハルジー朝（1290〜1320年）
3,4,5,トゥグルク朝（1320〜1413年）
サイード朝（1414〜1451年）
ローディー朝（1451〜1526年）
6,スール朝（1540〜55年）
7,ムガル帝国（1526〜1858年）

第7の都
シャージャハーナーバード
（ムガル帝国）

ラールキラ

第5の都
フィローザバード
（トゥグルク朝）

第6の都
プラーナキラ
（ムガル帝国、スール朝）

プラーナキラ

バハイ
寺院

第2の都
シーリー
（ハルジー朝）

第4の都
ジャハーン・パナー
（トゥグルク朝）

第3の都
トゥグラカーバード
（トゥグルク朝）

第1の都
ラール・コート
（ラージプート・クトゥブ
奴隷王朝）
ミナール

ギヤース
アッディーン廟

N

デリーで布教にあたった聖者のニザームッディーン廟

ニザームッディーン廟界隈にはイスラム教徒が多く暮らす

メトロ駅の看板、消費の拡大が続くインド経済

プラーナ・キラのキラーイ・クナ・モスク

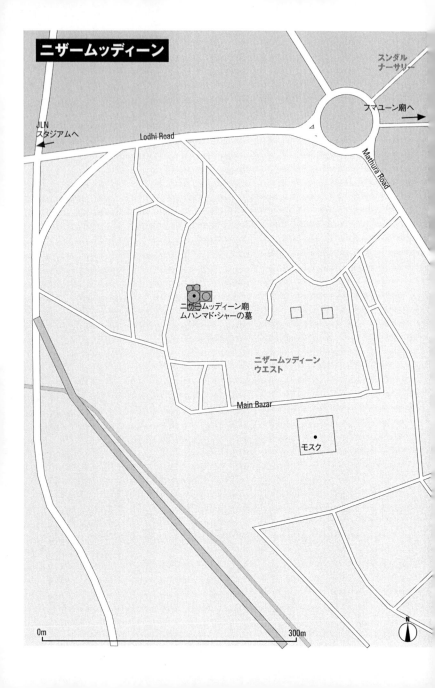

ニザームッディーン

スンダル
ナーサリー

フマユーン廟へ →

JLN
スタジアムへ ←

Lodhi Road

Mathura Road

ニザームッディーン廟
ムハンマド・シャーの墓

ニザームッディーン
ウエスト

Main Bazar

モスク

0m　　　　　　　　　300m

N

ンド各地や海外から集めた樹木をここで養生した（デリー
の気候になれさせ、その後、街路に植樹した）。デリー中央公園とも
いい、敷地内にはムガル時代の遺構や墓、井戸、モスクが
残り、鳥類も生息する。

ニザームッディーン廟 ★★☆

Nizam-ud-din's Shrine ⓣ निज़ामुद्दीन दरगाह
ⓐ ਨਿਜ਼ਾਮ-ਉਦ-ਦੀਨ ਦਾ ਅਸਥਾਨ／ⓤ نظام الدین درگاه

13〜14世紀、デリー・サルタナット朝時代のイスラム聖
者ニザームッディーン・アウリヤー。その家系は中央アジ
アのブハラを出自とするが、祖父の代にインドに移住し
てきた。ニザームッディーンは修行にはげんだ後、師ファ
リード・ウッディーンの勧めでデリーに道場を開き、清貧
生活、貧しい者へほどこしをする姿勢からイスラム教徒
だけでなく、ヒンドゥー教徒からも尊敬を受けていた。ニ
ザームッディーンが道場を開いていたこの場所は当時の
宮城からは離れていて、死後、聖者の名前をとってニザー
ムプルと呼ばれるようになり、広くイスラム世界から巡
礼者を集めている。

「デリーはなお遠い」スルタンとの対立

ニザームッディーンの属したチシュティー派は、スル
タンの庇護を受けて広がったスフラワルディー派と違っ
て、権力者とは距離をおく方針がとられた。なかでもトゥ
グルク朝スルタン・ギヤース・ウッディーンとの関係はか
んばしくなく、その都トゥグルカーバード造営中に、ニ

★★☆
ニザームッディーン廟 *Nizam-ud-din's Shrine*
★☆☆
ムハンマド・シャーの墓 *Tomb of Muhammad Shah*
スンダル・ナーサリー *Sunder Nursery*

ザームッディーンが人々の生活のために井戸の建設を
はじめたことなどで対立した。スルタン・ギヤース・ウッ
ディーンはベンガル地方への遠征から帰還する際に急死
したが、その際にニザームッディーンは「デリーはなお遠
い」という有名な言葉を残している。

ムハンマド・シャーの墓 ★☆☆

Tomb of Muhammad Shah／Ⓔ मोहम्मद शाह का मकबरा

Ⓐ ਮੁਹੰਮਦ ਸ਼ਾਹ ਦਾ ਮਕਬਰਾ　Ⓙ مُحَمَّد شاہ کا مقبرہ

ニザームッディーン廟の一角にあるムガル帝国第12代
皇帝ムハンマド・シャーの墓。ムハンマド・シャーの時代、
ムガル皇帝に往時の力はなく、デリー近郊の領主になり
さがっていた。そんななかで1739年、隣国ペルシャのナー
ディル・シャーの侵攻を受けて、デリーの街は荒廃し、ム
ガル帝国は凋落の一途をたどることになった。

フマユーン廟鑑賞案内

ラール・キラやクトゥブ・ミナールと
ならんで世界遺産に登録されているフマユーン廟
デリーでもっとも美しい建築にあげられる

フマユーン廟 ★★★

Tomb of Humayun ／ⓗ हुमायूँ का मकबरा ／ⓟ ਹੁਮਾਯੂੰ ਦੀ ਕਬਰ ／ⓤ مقبرہ ہمایوں

　ジャムナ河畔に残るムガル帝国第2代フマユーン帝の
墓廟。線対称の美、バランスのとれたドームと本体、細部
まで装飾された美しいたたずまいをしている。フマユー
ン廟は王妃ハージ・ベグムの指揮で建てられたもので、
1556年に皇帝がなくなってから9年後の1565年に完成
した(設計はミーラーク・ミルザー・ギヤースが担当)。墓廟にはフマ
ユーン帝のほか、ムガル帝国衰退期の皇帝の墓も複数残
るほか、1857年、インド大反乱のときにラール・キラから
逃れた最後の皇帝バハードゥル・シャー2世が一夜を過ご
した後とらえられるなど歴史の舞台にもなった。

イサ・ハーン廟 ★☆☆

Isa Khan Tomb ／ⓗ ईसा खान का मकबरा ／ⓟ ਈਸਾ ਖਾਨ ਦੀ ਕਬਰ
ⓤ عیسیٰ خان کا مقبرہ

　フマユーン廟の入口付近に立つイサ・ハーン廟。この建
物は、ムガル帝国以前の1547年に建てられた(プラーナ・キラ
と同時代のスール朝時代)。均整のとれた八角形のプランをも
ち、上部にドームを載せる。

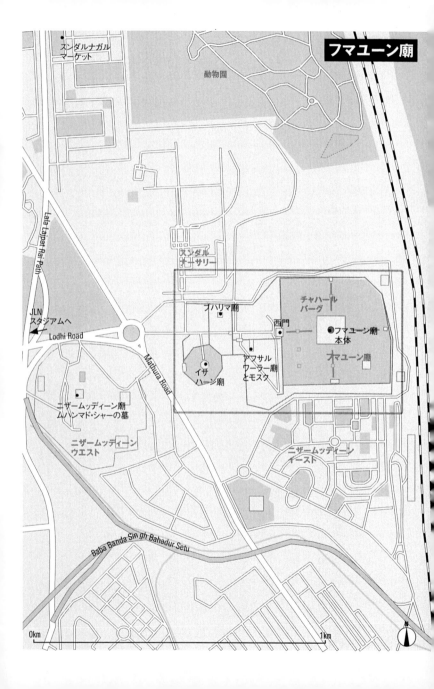

スンダルナガル
マーケット

動物園

Lala Lajpat Rai Path

スンダル
ナーサリー

チャハール
バーグ

ブハリマ廟

西門

●フマユーン廟
本体

JLN
スタジアムへ

Lodhi Road

イサ
ハーン廟

アフサル
ワーラー廟
とモスク

フマユーン廟

Mathura Road

ニザームッディーン廟
ムハンマド・シャーの墓

ニザームッディーン
ウエスト

ニザームッディーン
イースト

Baba Banda Singh Bahadur Setu

0km   1km

ブ・ハリマ廟 ★☆☆

Bu Halima's Tomb／Ⓔ बू-हलीमा का मकबरा／Ⓝ ਬੂ ਹਾਲੀਮਾ ਦਾ ਮਕਬਰਾ／
Ⓤ بو حلیمہ کا مقبرہ

　　ムガル帝国初期の16世紀に建てられた立方体状のブ・ハリマ廟。のちにフマユーン廟で完成されるムガル建築以前の墓廟様式で、石で組まれた簡素なたたずまいをしている。

アフサル・ワーラー廟とモスク ★☆☆

Afsarwala's Tomb and Mosque／Ⓔ अफसरवाला मकबरा और मस्जिद
Ⓝ ਅਫਸਰਵਾਲਾ ਦਾ ਮਕਬਰਾ ਅਤੇ ਮਸਜਿਦ　Ⓤ آفسر قبر اور مسجد

　　フマユーン廟と同時期の16世紀なかごろに建設されたアフサル・ワーラー廟とモスク。ドームをいだく中央のモスクとその隣の八角形のプランをもつ霊廟がふたつならんでいる。

西門 ★☆☆

West Gate　Ⓔ मकबरे का प्रवेशद्वार／Ⓝ ਵੈਸਟ ਗੇਟ (ਪੱਛਮੀ ਗੇਟ)　Ⓤ مقبرہ کا داخلی دروازہ

　　西門はフマユーン廟の周囲に配された4つの門のひとつ。外来者を内部に導くペルシャ起源のイワンと呼ばれる様式をもち、門を抜けたあとに空間が広がる効果が計

西門から墓廟本体をのぞく

ムガル帝国第2代皇帝が眠る

噴水のわくチャハール・バーグ

世界遺産にも指定されている美しいたたずまい

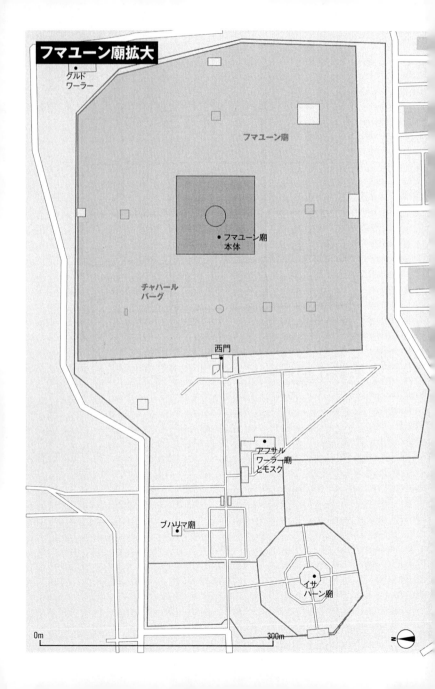

フマユーン廟拡大

グルド
ワーラー

フマユーン廟

フマユーン廟
本体

チャハール
バーグ

西門

アフサル
ワーラー廟
とモスク

ブハリマ廟

イサ
ハーン廟

0m   300m

N

算されている。

チャハール・バーグ ★☆☆
Chahar Bagh Ⓗचार-बाग Ⓟਚਹਰ ਬਾਗ (ਚਾਰਬਾਗ਼) Ⓤچہارباغ

フマユーン廟を中心に周囲はチャハール・バーグ（四分割庭園）が配置されている。これはイスラム教の聖典『コーラン』で描かれた楽園のイメージが具現化された庭園で、ペルシャで育まれた（水が縦横に流れ、木々のしげる様子は乾燥地帯のイランでは楽園と同一視された）。また敷地内はフマユーン廟を中心に完全な点対称となっていて、本体の前方にチャハール・バーグが配置された線対称のタージ・マハルとの相違点も見られる。

フマユーン廟本体 ★★☆
Tomb of Humayun Ⓗहुमायूँ का मकबरा Ⓟਹੁਮਾਯੂੰ ਦੀ ਕਬਰ／Ⓤمقبرہ ہمایوں

チャハール・バーグの中央に立つ美しいドームとプロポーションをもったフマユーン廟本体。47mの正方形の四隅を切り落とした八角形の基壇をもち、本体のうえに載るドームの高さは38mとなっている（ペルシャ建築と赤砂岩と白大理石というインドの素材が融合し、ムガル建築が大成したことがうかがえる）。内部の広間にムガル帝国第2代皇帝のフマユーン帝はじめムガル王族の墓が安置されている。

フマユーン廟よりも古いイサ・ハーン廟

意匠は○□△といった幾何学模様で表現される

Mughal Geijutsu

ムガル芸術完成タージへ

**赤と白の美しきたたずまいを見せるフマユーン廟
タージ・マハルの原型になったという
インド・イスラム建築の傑作**

ムガル建築の完成

　この廟にまつられた第2代フマユーン帝はバーブル帝のあとをついで即位したが、支配基盤は定まらず、シェール・シャーに敗れて、ペルシャのサファヴィー朝の宮廷に逃れることになった(そのため在位、1530〜40年と1555〜56年となっていて、途中15年間分断されている)。のちにフマユーン帝は勢力を盛り返してデリーを奪還するが、このことがムガル宮廷におけるペルシャ文化の優位性を決定づけ、ムガル芸術が完成する道筋となった。父バーブル帝、息子のアクバル帝にくらべると華々しい成果は残せなかった一方で、ムガル建築はフマユーン廟の建設で完成し、その様式がタージ・マハルに受け継がれた。

トルコ族の様式

　フマユーン廟で見られる墓石は一般参拝用のもので、本物の墓は地下におかれている。この二重墳墓形式は、サマルカンドのティムール廟などでも見られ、トルコ族独特のものとされる(ムガルはモンゴルを意味し、バーブル帝はティムールの血をひく)。トルコ族は10世紀ごろから西征をはじめ、中央アジアでガズナ朝、イランでセルジューク朝、後

にアナトリア半島でオスマン・トルコを樹立するなど広がりを見せた。ムガル帝国初代バーブル帝はトルコ語で『バーブル・ナーマ』を記しているが、ムガル宮廷ではフマユーン帝の時代からペルシャ語が使われるようになった。

ムガル諸皇帝の墓

　ムガル帝国がインドの大部分を統治していたのは第3代アクバル帝から第6代アウラングゼーブ帝の時代ごろまでで、1526年から1858年のあいだ17代にわたって続いたムガル皇帝もその後期はデリー近郊の領主になりさがっていた。フマユーン廟には、8代、9代、10代、11代、14代の皇帝が埋葬されている一方、皇帝の臣下であったサフダル・ジャングの霊廟がニュー・デリー南部でその威容を誇っている。そのことはムガル皇帝の凋落を端的に示すものだという。

ムガル皇帝（最盛期）の墓所

初代バーブル帝（カブール）

第 2 代フマユーン帝（デリー）

第 3 代アクバル帝（シカンドラ）

第 4 代ジャハンギール帝（ラホール）

第 5 代シャー・ジャハーン帝（アーグラ）

第 6 代アウラングゼーブ帝（クルダバード）

Swaminarayan Akshardham

スワミナラヤンアクシャルダム
鑑賞案内

ジャムナ河の東岸にそびえる
超巨大ヒンドゥー寺院
多くのインド人が訪れるスワミ・ナラヤン・アクシャルダム

スワミ・ナラヤン・アクシャルダム ★★☆

Swaminarayan Akshardham Ⓗ अक्षरधाम मंदिर
Ⓝ સ્વામીનારાયણ અક્ષરધામ Ⓤ اکشردھام

　ニュー・デリー市街地からジャムナ河の対岸に位置し、
「世界最大のヒンドゥー寺院」として知られるスワミ・ナ
ラヤン・アクシャルダム。スワミ・ナラヤンは近代グジャ
ラートで活躍したヒンドゥー聖者で、この聖者に由来す
る宗派によって2005年に建立された。比較的新しい寺
院であることからも、他のヒンドゥー寺院とは大きく異
なった形態をしていて、ボートに乗ってインドの歴史と
文化を学んだり、映画やミュージカルも上映されるなど
テーマパークのような様相をしている。

さまざまな宗教と超巨大建築

　13世紀以来、王朝の都がおかれてきたデリーには、モス
クや宮殿などさまざまな建築が築かれてきた。それまで
こぶりだったデリーの建築が一気に巨大化するのが16世
紀のムガル帝国時代で、ジャムナ西岸のフマユーン廟や
オールド・デリーのジャマー・マスジッドなどが造営され
た。また現代では1986年に完成したバハイ教のロータス・
テンプル(デリー南部に位置する)も知られ、スワミ・ナラヤン・

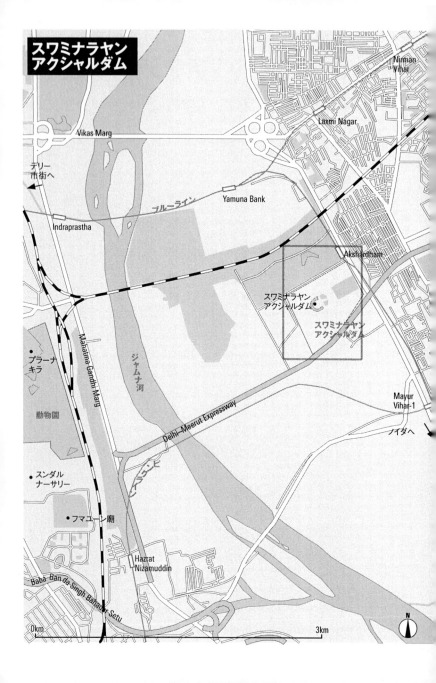

スワミナラヤン
アクシャルダム

Nirman Vihar

Laxmi Nagar

Vikas Marg

デリー
市街へ

ブルーライン

Yamuna Bank

Indraprastha

Akshardham

スワミナラヤン
アクシャルダム

スワミナラヤン
アクシャルダム

プラーナ
キラ

Mahatma Gandhi Marg

ジャムナ河

動物園

Mayur
Vihar-1

Delhi-Meerut Expressway

ノイダへ

スンダル
ナーサリー

フマユーン廟

Hazrat
Nizamuddin

Baba Banda Singh Bahadur Setu

0km   3km

N

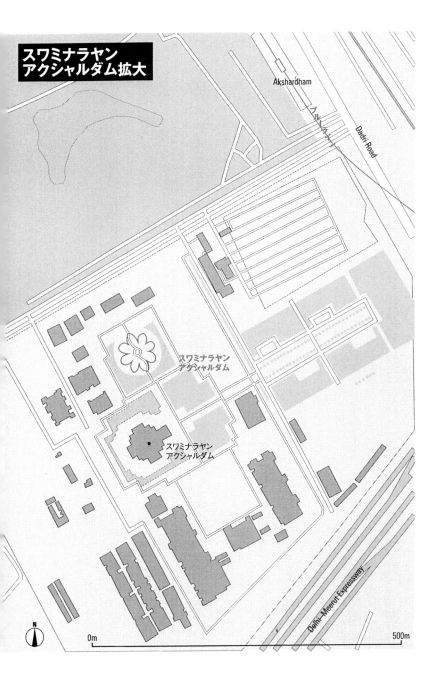

スワミナラヤン
アクシャルダム拡大

Akshardham

アルワル・Road

Delhi Road

スワミナラヤン
アクシャルダム

スワミナラヤン
アクシャルダム

Delhi-Meerut Expressway

N

0m   500m

アクシャルダムは2005年に造営された。

★★★
フマユーン廟 *Tomb of Humayun*
★★☆
スワミ・ナラヤン・アクシャルダム *Swaminarayan Akshardham*
プラーナ・キラ *Purana Qila*
★☆☆
動物園 *National Zoological Gardens*
スンダル・ナーサリー *Sunder Nursery*

遠方にスワミ・ナラヤン・アクシャルダムが見える

さまざまな信仰をもつ人が暮らす、インドは宗教の国とも言える

Lodi Garden
ローディー公園城市案内

中世の遺跡が残るローディー公園
ゆったりとした街並みにはカフェや店舗がならぶ
ガンジーゆかりの記念館は暗殺現場でもある

ガンジー記念博物館 ★★☆
Gandhi Smriti Museum　ⓗ गांधी स्मृति／ⓝ ਗਾਂਧੀ ਸਮ੍ਰਿਤੀ ਅਜਾਇਬ ਘਰ
ⓤ گاندھی سمرتی

　インド独立の父ガンジーが暗殺された付近に立つ博物
館。イギリスの植民地支配からインドを独立に導いたガ
ンジーは、過激派の反感を買って1948年1月30日に暗殺
された。この博物館には、その日、礼拝へ向かおうとする
ガンジー最後の足あとが刻まれており、バプー（父）と愛
称で呼ばれたガンジーを慕う人々が訪れている。

カーン・マーケット ★★☆
Khan Market　ⓗ खान मार्किट　ⓝ ਖਾਨ ਮਾਰਕੀਟ／ⓤ خان مارکیٹ

　ファッションや雑貨などデリーに暮らす感度の高い
人々が行き交うカーン・マーケット。カフェやバー、書店、
女性向けの美容専門店などがならび、デリー最先端の流
行を発信している。

ローディー公園 ★★☆
Lodi Garden　ⓗ लोधी उद्यान　ⓝ ਲੋਧੀ ਗਾਰਡਨ／ⓤ لودھی باغ

　インド門の南西に広がる緑豊かなローディー公園。こ
の公園には中世デリーを支配したローディー朝の墓廟が
いくつも残っていて、その遺跡を活かすようにして公園

ローディー公園

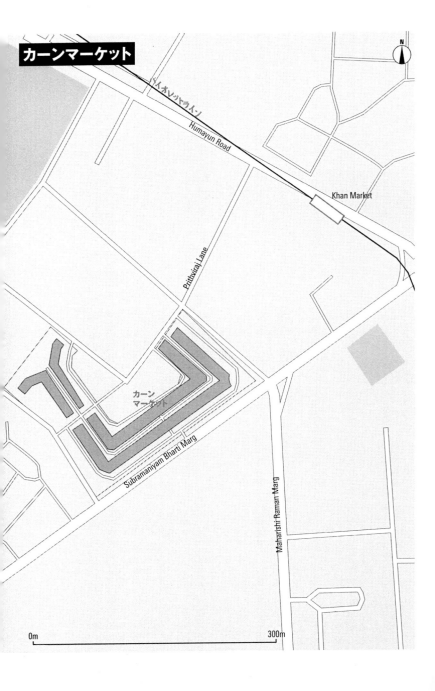

カーンマーケット

N

リス・オレットラインノ

Humayun Road

Khan Market

Prithviraj Lane

カーン
マーケット

Subramaniyam Bharti Marg

Maharishi Raman Marg

0m   300m

が整備されている。ローディー朝(1451～1526年、ムガル帝国に敗れてデリーを明け渡した)のスルタン、シカンダル・シャー・ローディーの墓廟はじめ、ローディー朝時代のモスクであるバラーグンバッド、シーシュグンバッドのほかトゥグルク朝第3代ムハンマド・シャーの墓、サイード朝の第2代ムバラク・シャーの墓なども見られる。

シカンダル・シャー・ローディー廟 ★☆☆

Tomb of Sikandar Shah लोदी का मकबरा／
Ⓗ सिकंदर शाह लेधी दा मकबरा／Ⓤ سکندر لودھی کا مقبرہ

デリー・サルタナット朝末期の名君シカンダル・シャー・ローディーの霊廟(アフガン系ローディー朝の第2代皇帝)。ティムールの侵入以後、サルタナット朝の領土は小さくなったが、シカンダル・シャーの時代に勢力を戻し、ラージプートを牽制するため、1504年、都をアーグラに遷した(現在アクバル廟が残るシカンドラはこの皇帝にちなむ)。シカンダルの死後、ローディー朝は混乱し、やがて1526年のムガル帝国の成立を招くことになった。

ニュー・デリー／15億人へ向かうインドの「首都」

★★☆
ガンジー記念博物館 *Gandhi Smriti Museum*
カーン・マーケット *Khan Market*
ローディー公園 *Lodi Garden*
サフダル・ジャング廟 *Tomb of Safdar Jang*

★☆☆
シカンダル・シャー・ローディー廟 *Tomb of Sikandar Shah Ludhi*
ムバラク・シャー・サイイド廟 *Tomb of Mubarak Shah Saiyid*
ローディー・コロニー *Lodhi Colony*
チベット・ハウス *Tibet House*
サイババ寺院 *Sai Baba Mandir*
INAマーケット *INA Market*
ディッリー・ハート *Dilli Haat*
ジャガンナート寺院 *Shri Jagannath Mandir*
ナジャフ・ハーンの墓 *Najaf Khan Tomb*

...्य रहा है। मैं यह दावा नहीं करता कि यह मेरा विशेष गुण है, क्योंकि उस मैंने कि विकसित नहीं किया है बल्कि यह मेरा स्वभाव ही है। इसके विपरित, मैं अच्छी ...नता हूँ कि अहिंसा, ब्रह्मचर्य, अपरिग्रह और अन्य मूलभूत गुणों का विकास करने के ...े निरंतर संघर्ष करना पड़ा है।

मो. क. गांधी

...have known no distinction between relatives and strangers, ...trymen and foreigners, white and coloured, Hindus and Indians of ...faiths, whether Mussalmans, Paris, Christians or Jews. I may say ...my heart has been incapable of making any such distinctions. I ...ot claim this as a special virtue, as it is in my very nature, rather than

非暴力、不服従でインドを独立に導いたガンジー

デリーの流行発信地のひとつカーン・マーケット

露店では人々の生活が息づく

点対称のプランをもつイスラム建築ムバラク・シヤー・サイイド廟

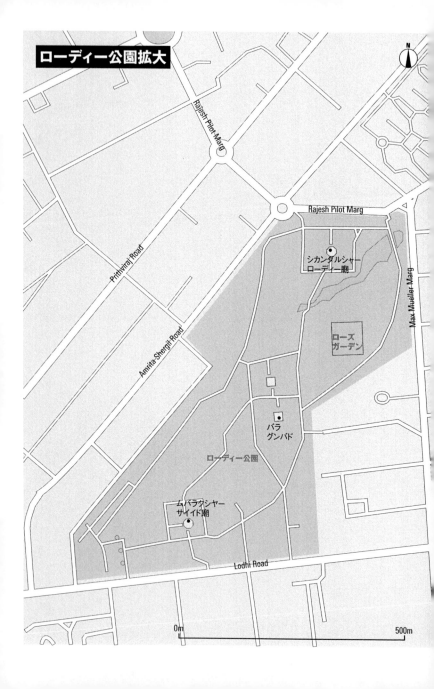

アフガン部族の連合体

　デリー・サルタナット朝時代には中央アジアのトルコ人やアフガン人が多く、インドへ移住した。とくに5番目のローディー朝(1451〜1526年)とムガル帝国をいったんペルシャに追いやるスール朝(1540〜55年)はアフガン系の王朝として知られるが、トルコ人の王朝とは文化も慣習も大きな違いがあったという。アフガン人のあいだでは、各地の支配者をひとりの仲間、同等の立場ととらえ、スルタン自らは玉座に座らないといった部族意識が見られた。こうしたアフガン部族を出自とするローディー朝のシカンダル・シャー、スール朝のシェール・シャーは中世インドの名君に数えられる。

ムバラク・シャー・サイイド廟 ★☆☆
Tomb of Mubarak Shah Saiyid　Ⓗ मुबारक शाह सैयद् का मकबरा
Ⓐ ਮੁਬਾਰਕ ਸ਼ਾਹ ਸਯੀਦ ਦਾ ਮਕਬਰਾ　Ⓤ مبارک شاہ سید کا مقبرہ

　ローディー公園の南側に残る八角形のプランをもつムバラク・シャー・サイード廟。柱の立つアーケード状の外面をしていて、上部はドームとその周囲に小さなチャトリを8つ載せる。サイイド朝(1414〜1451年)の第2代スルタンであるムバラク・シャーの墓廟だと考えられている(サイイド朝はティムールの侵攻とともに成立したデリー・サルタナット朝第4の王朝)。

★★☆
ローディー公園 *Lodi Garden*

★☆☆
シカンダル・シャー・ローディー廟 *Tomb of Sikandar Shah Ludhi*
ムバラク・シャー・サイイド廟 *Tomb of Mubarak Shah Saiyid*

ローディー・コロニー ★☆☆
Lodhi Colony ／ⓔ लोधी कॉलोनी／Ⓝ ਲੋਧੀ ਕਲੋਨੀ／ⓤ لودھی کالونی

　緑豊かなローディー公園の一帯は20世紀末ごろから中流層向けのショップやレストランが集まるようになった。ローディー・コロニーには、カフェや雑貨店がならぶメハルチャンド・マーケットなどが位置する。

チベット・ハウス ★☆☆
Tibet House／ⓔ तिब्बत हाउस संग्रहालय／Ⓝ ਤਿੱਬਤ ਹਾਊਸ　ⓤ تبت ہاؤس

　チベット・ハウスは、チベットの手工芸品が展示されている博物館で、ダライ・ラマ14世が1959年のチベット動乱でたずさえてきた法具なども見られる。ダライ・ラマの亡命政府はインド北部のダラムサラにあるほか、オールド・デリーの北側にチベット人が集住するエリアがある。

サイババ寺院 ★☆☆
Sai Baba Mandir ／ⓔ साई बाबा मंदिर／Ⓝ ਸਾਈਂ ਬਾਬਾ ਮੰਦਿਰ／ⓤ سائیں بابا مندر

　デリーの住宅地の一角にたたずむサイババ寺院。ニームの木のしたで瞑想し、質素な生活を送った聖人シルディ・サイ・ババをまつる（ムンバイ近郊のシルディに生まれたサイ・ババは1918年に死んだ）。1968年に建てられ、図書館、コミュニティセンター、病院などをそなえるシュリーサイババ・サマージの拠点となっている。

サフダル・ジャング廟 ★★☆
Tomb of Safdar Jang ／ⓔ सफदरजंग का मकबरा
Ⓝ ਸਫਦਰ ਜੰਗ ਦਾ ਮਕਬਰਾ／ⓤ صفدر جنگ کا مقبرہ

　18世紀、ムガル帝国の大臣をつとめたミルザー・ムキーム・アブル・マンスール・ハーンの墓廟。帝国が斜陽を迎えるなか宮廷で権力を握り、1774年、12代皇帝ムハンマド・シャーからサフダル・ジャング（『敵軍をけちらす者』）の称号を受けた。第12代、第13代皇帝が壮麗な墓をつくれなかっ

デリーで出会った子どもたち、クリケットをしていた

ムガル帝国後期に建てられたサフダル・ジャング廟

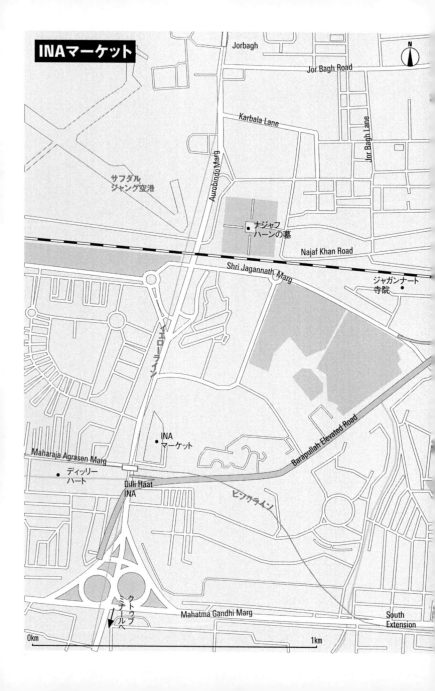

たのに対し、臣下のサフダル・ジャングの墓は1774年に完成した(彼の子孫はアワドで独立し、ムガル帝国に代わってインド・イスラム文化を継承していくことになる)。墓廟の建設にあたってタージ・マハルが意識されているという。

INAマーケット ★☆☆
INA Market／Ⓗ आईएनए मार्किट／Ⓟ ਆਈ ਏਨ ਏ ਮਾਰਕੀਟ
Ⓤ آئی این اے مارکیٹ

ニューデリー南部に位置し、食料品店がずらりとならぶ市場のINAマーケット。魚介類、肉類、香辛料、野菜や調味料をはじめ、サリーや日用雑貨を扱う店も見える。INAという頭文字は、「Indian National Army(インド国民軍)」の施設があったことに由来する。

ディッリー・ハート ★☆☆
Dilli Haat Ⓗ दिल्ली हाट／Ⓟ ਦਿੱਲੀ ਹਾਟ／Ⓤ دلی ہاٹ

インド各地のアクセサリー、手織りの織物、ブロック・プリント、刺しゅう、衣類、金属工芸品などをあつかうディッリー・ハート。「ディッリー」とはデリーのヒンディー語(デーヴァナーガリー文字)読みで、「ハート」は農村部で開かれてきた市場を意味する。インドの伝統文化や食事にふれることができる。

ジャガンナート寺院 ★☆☆
Shri Jagannath Mandir Ⓗ श्री जगन्नाथ मंदिर／Ⓟ ਸ਼੍ਰੀ ਜਗਨਨਾਥ ਮੰਦਰ
Ⓤ جگن ناتھ مندر

ジャガンナート神はオリッサ地方の土着神で、のちに

クリシュナ神(ヴィシュヌ神)と同一視されるようになった。
当初、デリーに暮らすオリッサ人が集まり、オリッサの儀
式や礼拝が行われていたが、1968年にこの寺院が建てら
れた。オリッサの文化や芸術発信拠点となっていて、民族
舞踊が見られることもある。

ナジャフ・ハーンの墓 ★☆☆
Najaf Khan Tomb／ⓗ नजफ खान का मकबरा／Ⓐ ਨਜਫ ਖਾਨ ਕਬਰ
نجف خان کا مقبرہ ⓤ

　　ナジャフ・ハーン(1722年ごろ～82年)はイラン出身の
貴族、冒険家。1740年ごろ、サファヴィー朝からインドに
やってきて、ムガル帝国シャー・アラム3世の宮廷に仕え
た。アワドの副大臣をつとめ、とくにムガル帝国の軍隊
をひきいたことで功績がある(ナジャフ・ハーンの死後、ムガル軍
は弱体化した)。チャハール・バーグ様式の庭園をもつペル
シャ様式の陵墓となっている。

チャナキャプリ城市案内

各国の大使館が集まり
外交の舞台となっているチャナキャプリ
エアポート・メトロのダウラクアン駅も位置する

ネルー記念博物館 ★☆☆
Nehru Museum／ⓔ नेहरू संग्रहालय　ⓗ ਨਹਿਰੂ ਅਜਾਇਬ ਘਰ／
ⓤ نہرو میوزیم

　ネルー記念博物館は、インド初代首相ネルーの官邸
ティーンムルティ・バワンがおかれていたところ。この
邸宅は政治家やネルーを慕う人々が訪れた迎賓館でもあ
り、20世紀インドの政治の中心舞台となっていた（ネルーの
娘インディラ、孫ラジブも首相になったことから、3代にわたるネルー王朝
と言われる）。写真や新聞でネルーの来歴が展示されている。

チャナキャプリ ★☆☆
Chanakyapuri　ⓔ चाणक्यपुरी　ⓗ ਚਾਣਕਯਪੁਰੀ　ⓤ چانکیہ پوری

　大統領官邸の南西に位置する区画チャナキャプリ。そ
こを走るシャーンティ・パトゥの周囲には各国の大使館
が集中していて、静かな街並みが広がっている。チャーナ
キャとは「インドのマキャベリ」の異名をもつ古代インド
マウリヤ朝時代の宰相の名前からとられている。

国立鉄道博物館 ★☆☆
National Rail Museum／ⓔ राष्ट्रीय रेल संग्रहालय／ⓗ ਰੇਲ ਅਜਾਇਬ ਘਰ
ⓤ نیشنل ریل میوزیم

　チャナキャプリに位置し、インドの鉄道を紹介する国

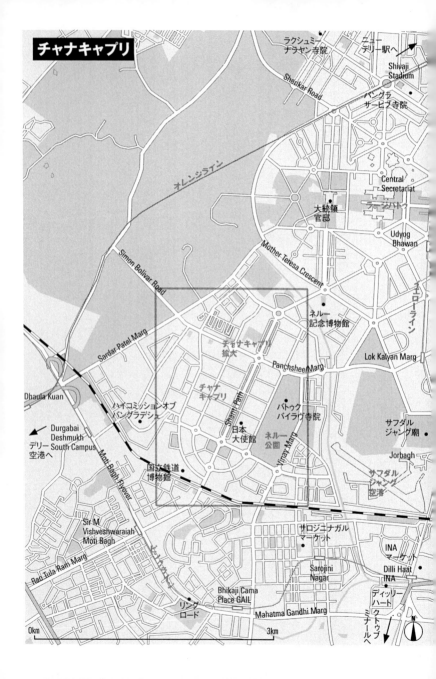

チャナキャプリ

ラクシュミー
ナラヤン寺院

ニュー
デリー駅へ

Shankar Road

Shivaji
Stadium

バングラ
サービブ寺院

オレンジライン

Central
Secretariat

ラージパト

大統領
官邸

Udyog
Bhawan

Mother Teresa Crescent

Simon Bolivar Road

イエローライン

ネルー
記念博物館

Sardar Patel Marg

チャナキャプリ
城大

Panchsheel Marg

Lok Kalyan Marg

チャナ
キャプリ

Dhaula Kuan

Shanti Path

ハイコミッションオブ
バングラデシュ

バトゥク
バイラヴ寺院

サフダル
ジャング廟

Durgabai
Deshmukh
デリー South Campus
空港へ

日本
大使館

ネルー
公園

Yunay Marg

Jorbagh

サフダル
ジャング
空港

Moti Bagh Flyover

国立鉄道
博物館

サロジニナガル
マーケット

INA
マーケット

Sir M
Vishveshwaraiah
Moti Bagh

Dilli Haat
INA

Red Tula Ram Marg

ディッリー
ハート

Sarojini
Nagar

クトゥブ
ミナールへ

Bhikaji Cama
Place GAIL

リング
ロード

Mahatma Gandhi Marg

0km   3km

N

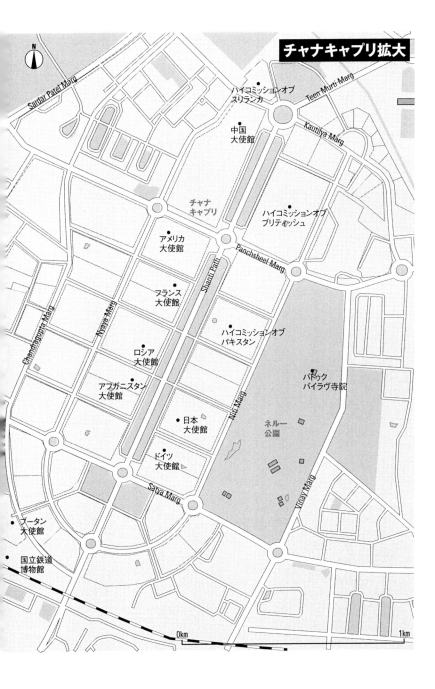

チャナキャプリ拡大

N

Sardar Patel Marg

Teen Murti Marg

Kautilya Marg

ハイコミッションオブ
スリランカ

中国
大使館

チャナ
キャプリ

ハイコミッションオブ
ブリティッシュ

アメリカ
大使館

Panchsheel Marg

Shanti Path

フランス
大使館

Nyaya Marg

Chandragupta Marg

ハイコミッションオブ
パキスタン

ロシア
大使館

アフガニスタン
大使館

バドウク
バイラヴ寺院

Niti Marg

日本
大使館

ネルー
公園

Vinay Marg

ドイツ
大使館

Satya Marg

ブータン
大使館

国立鉄道
博物館

0km

1km

立鉄道博物館。実際に使われていた車体、エンジン、信号装置、写真など、100を超える展示が見られる。イギリス植民地時代、1875年製のプリンス・オブ・ウェールズの客車、豪華なイスやベッドを配備した1899年製のマイソールのマハラジャ愛用の客車、1855年につくられた蒸気機関車のフェアリークイーンなどが安置されている。1977年に開館した。

バトゥク・バイラヴ寺院 ★☆☆

Shree Batuk Bhairav Temple ⓗ श्री बटुक भैरव मंदिर／Ⓝ ऊेतव मंदेत／
Ⓤ بھيراو مندر

チャナキャプリのネルー公園に立つバトゥク・バイラヴ寺院。バイラヴ神はシヴァの怒りを示し、この寺院はマハーバーラタ時代にパンダヴァ族が建てたものにさかのぼるという。角錐状の寺院本体の周囲に龕が配され、彫像がおかれている。

サロジニ・ナガル・マーケット ★☆☆

Sarojini Nagar Market ⓗ सरोजिनी नगर मार्किट／
Ⓝ सरोजिनी ऩगर मारकीट Ⓤ سروجنی نگر مارکیٹ

ニュー・デリー南部に位置するサロジニ・ナガル・マー

ケット。サリーの布地やファッション雑貨を扱う店舗が集まり、地元のインド人が買いものに訪れる。

リング・ロード ★☆☆
Ring Road／ⓣ मुद्रिका मार्ग／ⓗ रिंग रोड ⓤ ﺭﻨﮓ ﺭﻭﮈ

　ニュー・デリーの街を囲むように走るリング・ロード。東側はジャムナ河のすぐ西を走り、オールド・デリーのさらに北、またライシナ丘陵をおおうように一周する。このリング・ロードの南端あたりはかつてニュー・デリー郊外だったが、20世紀末からショッピング・モールや中流層向けマーケットが見られるようになった。

人口や消費の拡大、インドに熱い視線が注がれる

独特の宗教体系をもつヒンドゥー教、カーリー寺院にて

パハール・ガンジのラッシー屋さん

インド門はこの街の象徴とも言える

Syokumin Kara

イギリス植民から近現代へ

イギリスの植民地にくみこまれた近代インド
コルカタ、チェンナイ、ムンバイは急速に発展
そしてニュー・デリーが建設された

インド航路の「発見」

18世紀からインドを200年にわたって支配したイギリスは、民主主義や司法制度などでインドに大きな影響をあたえたと言われる。近代、アジア、アフリカ諸国は西欧から見て、遅れた非文明国と見られ、多くの国々が西欧の植民地となった。最初にインドへ進出したのはイギリスではなく、ポルトガルでイスラム商人が使っていた季節風を使ってバスコ・ダ・ガマの船団が1498年にカリカットに到着した。ムガル帝国が統治する近世インドにあってインド海岸部にはポルトガルはじめ、オランダ、イギリスなどの商館が建てられはじめた。

イギリスの台頭

ベンガルの綿を買うためにフーグリ河畔に西欧各国の商館がおかれ、イギリス東インド会社もポルトガルやフランスとともにインドに進出した。1757年に起こったプラッシーの戦いはごく小さなものだったが、フランスに対する優位を決定づけ、イギリスはムガル皇帝からベンガル地方の徴税権を譲り受けた（ここに植民地化がはじまり、戦いを指揮した東インド会社書記クライブは、イギリスではインド帝国の建

設者とされる）。ムガル帝国が弱体化するなか、イギリスはハイデラバード、マイソール、マラータといったインド各地の勢力に介入しながらその支配を広げていった。

インド帝国の成立

当初、イギリスの支配は東インド会社を通じた交易を中心とするものだったが、1857年の大反乱以後、ヴィクトリア女王を君主とするインド帝国が成立した。この帝国は、マレーシア、オーストラリア、南アフリカなど地球上の4分の1とも言われる大英帝国を構成し、とくにインドでとられる綿やジュートなどが、敷設された鉄道網でイギリス本国へ運びだされた。イギリスによってインドの富はしぼりとられていたが、議会制民主主義、司法の独立、また多様な言語をもつこの国の共通語としての英語が浸透するなどイギリス文化の影響を受けることになった。

ニュー・デリーの造営

20世紀初頭、イギリスがコルコタからデリーへ遷都したのは、ベンガル地方の衛生面の問題や、インド全土を統治するにあたってコルコタが地理がかたよりすぎていたことなどがあげられる。また中世以来いくつもの王朝が都をおいたデリーに新たな都を築くことで、インド統治の正当性を示そうとしたとも言われる。かつて「この地に都を築いたものは必ず滅びる」とも言われ、イギリス内でもニュー・デリー造営に反対する意見も出ていたが、計画は進められ、結局、イギリスもこの都を手放すことになった。

インド共和国の独立

　パキスタン、バングラデシュをふくむ広大な領土を
もっていた英領インド。20世紀になり、ふたつの大戦を
へるなかで独立運動がもりあがり、1947年に英領インド
はインドと東西パキスタンに分離独立することになっ
た。イギリス植民地時代の1911年に建設がはじまった
ニュー・デリーにはインド共和国の首都がおかれ、現代イ
ンドの政治の舞台となっている。21世紀になって、急激
な経済成長を見せるインドの首都、パキスタン、バングラ
デシュなど多くの人口を抱える南アジアの中心として高
い地位を保っている。

『多重都市デリー』(荒松雄/中央公論社)

『インド建築案内』(神谷武夫/TOTO出版)

『世界の歴史14ムガル帝国から英領インドへ』(佐藤正哲、中里成章、水島司/中央公論社)

『世界の歴史27自立へ向かうアジア』(狭間直樹・長崎暢子/中央公論社)

『インドの時代』(中島岳志/新潮社)

『南アジアを知る事典』(平凡社)

東京大学東洋文化研究所所蔵 インド史跡調査デジタルアーカイブhttp://www.ioc.u-tokyo.ac.jp/~islamarc/

Welcome to Delhi Tourism http://delhitourism.gov.in/

NATIONAL RAIL MUSEUM http://nrmindia.com/

Shri Jagannath Mandir Delhi https://shrijagannathmandirdelhi.in/

Delhi https://www.delhiinformation.in/

Welcome To Mata Jhandewalan http://jhandewalamandir.com/

Sunder Nursery http://www.sundernursery.org/home.php

BhaktiBharat.com https://www.bhaktibharat.com/

[PDF] デリー地下鉄路線図http://machigotopub.com/pdf/delhimetro.pdf

[PDF] デリー空港案内http://machigotopub.com/pdf/delhiairport.pdf

OpenStreetMap

(C)OpenStreetMap contributors

ニュー・デリー／15億人へ向かうインドの「首都」

まちごとパブリッシングの旅行ガイド
Machigoto INDIA , Machigoto ASIA , Machigoto CHINA

マカオ-まちごとチャイナ

Juo-Mujin(電子書籍のみ)

まちごとパブリッシングの旅行ガイド

自力旅游中国Tabisuru CHINA

旅のインド文字

英語
ヒンディー語
パンジャーブ語
ウルドゥー語

ニュー・デリー
New Delhi

नई दिल्ली

ਨਵੀਂ ਦਿੱਲੀ

نئَ دہلی

ニュー・デリー駅
New Delhi R.S.

नई दिल्ली रेलवे स्टेशन

ਨਵੀਂ ਦਿੱਲੀ ਰੇਲਵੇ ਸਟੇਸ਼ਨ

نئَ دہلی ریلوے اسٹیشن

パハール・ガンジ（メイン・バザール）
Pahar Ganj

पहाड़गंज

ਪਹਾੜ ਗੰਜ (ਮੁੱਖ ਬਜ਼ਾਰ)

پہاڑ گنج

カロル・バーグ
Korol Bagh

करोल बाग

ਕਰੋਲ ਬਾਗ

کرول باغ

ジャンデワラン・ハヌマン寺院
Jhandewalan Hanuman Temple

झंडेवालान हनुमान मंदिर

ਹਨੂੰਮਾਨ ਮੰਦਰ

ہنومان مندر

ジャンデワラン・デーヴィー寺院
Jhandewala Devi Tample

झंडेवाला देवी मंदिर

ਝੰਡੇਵਾਲਾ ਦੇਵੀ ਮੰਦਰ

جھنڈی والا مندر

Connaught Place

कनॉट प्लेस

ਕਨਾਟ ਪਲੇਸ

کناٹ پلیس

Jeevan Bharti Building

जीवन भारती इमारत

ਜੀਵਨ ਭਾਰਤੀ ਭਵਨ

جیون بھارتی

Jantar Mantar

जंतर मंतर

ਜੰਤਰ-ਮੰਤਰ

جنتر منتر

Agrasen ki Baoli

अग्रसेन की बावली

ਅਗਾਰਸੇਨ ਪੌੜੀ

اگر سن کی باالی

Gurudwara Bangla Sahib

गुरुद्वारा बंगला साहिब

ਬੰਗਾਲਾ ਸਾਹਿਬ ਮੰਦਰ

گردوارہ بنگلہ صاحب

Kali Mandir

काली मंदिर

ਕਾਲੀ ਮੰਦਰ

کالی مندر

Lakshmi Narayan Mandir

लक्ष्मी नारायण बिरला मंदिर

ਲਕਸ਼ਮੀ ਨਾਰਾਇਣ ਮੰਦਰ

لکشمی نارائن مندر

Rashtrapati Bhavan

राष्ट्रपति भवन

ਰਾਸ਼ਟਰਪਤੀ ਮਹਿਲ ਰਾਸ਼ਟਰਪਤੀ ਭਵਨ

صدارتی محل

国会議事堂
Parliament House

संसद भवन

ਸੰਸਦ ਭਵਨ

پارلیمنٹ ہاؤس

ラージ・パトゥ
Rajpath

राजपथ

ਰਾਜਪਥ

راجپاتھ

国立博物館
National Museum

राष्ट्रीय संग्रहालय

ਰਾਸ਼ਟਰੀ ਅਜਾਇਬ ਘਰ

قومی میوزیم

インディラ・ガンディー芸術センター
Indira Gandhi National Centre for the Arts

इंदिरा गांधी राष्ट्रीय कला केन्द्र

ਇੰਦਰਾ ਗਾਂਧੀ ਨੈਸ਼ਨਲ ਸੈਂਟਰ ਫਾਰ ਦੀ ਆਰਟਸ

اندرا گاندھی نیشنل سنٹر فار آرٹس

インド門
India Gate

इण्डिया गेट

ਇੰਡੀਆ ਗੇਟ

باب ہند

国立現代美術館
National Gallery of Modern Art

राष्ट्रीय आधुनिक कला संग्रहालय

ਨੈਸ਼ਨਲ ਗੈਲਰੀ ਆਫ ਮਾਡਰਨ ਆਰਟ

جدید آرٹ کا قومی عجائب گھر

ベンガリー・マーケット
Bengali Market

बंगाली मार्केट

ਬੇਂਗਾਲੀ ਮਾਰਕੇਟ

بنگالی مارکیٹ

プラーナ・キラ
Purana Qila

पुराना किला

ਪੁਰਾਣਾ ਕਿਲਾ

پرانا قلعہ

シェール・マンディル
Sher Mandel

हुमायूँ का पुस्तकालय

ਸ਼ੇਰ ਮੰਡਲ

شیر منڈل

キラーイ・クナ・モスク
Qila-i-Kuhuna Masjid

मस्जिद किला ऐ कोहना

ਕਿਲਾ-ਏ-ਕੁਹਣਾ ਮਸਜਿਦ

قلعہ کوہنا مسجد

スンダルナガル・マーケット
Sunder Nagar Market

सुंदर नगर मार्केट

ਸੁੰਦਰ ਨਗਰ ਮਾਰਕੀਟ

سندر نگر مارکیٹ

動物園
National Zoological Gardens

चिड़ियाघर

ਰਾਸ਼ਟਰੀ ਚਿੜੀਆ ਗਾਰਡਨ

چڑیا گھر

スンダル・ナーサリー
Sunder Nursery

सुंदर नर्सरी

ਸੁੰਦਰ ਨਗਰ

سندر نگر

ニザームッディーン廟
Nizam-ud-din's Shrine

निज़ामुद्दीन दरगाह

ਨਿਜ਼ਾਮ-ਉਦ-ਦੀਨ ਦਾ ਅਸਥਾਨ

نظام الدین درگاہ

ムハンマド・シャーの墓
Tomb of Muhammad Shah

मोहम्मद शाह का मकबरा

ਮੁਹੰਮਦ ਸ਼ਾਹ ਦਾ ਮਕਬਰਾ

محمد شاہ کا مقبرہ

フマユーン廟
Tomb of Humayun

हुमायूँ का मकबरा

ਹੁਮਾਯੂੰ ਦੀ ਕਬਰ

مقبرہ ہمایوں

इसा खान का मकबरा

ईसा खान दी कबर

عیسیٰ خان کا مقبرہ

बू-हलीमा का मकबरा

बु हालीमा दा मकबरा

بو حلیمہ کا مقبرہ

अफसरवाला मकबरा और मस्जिद

अफसरवाला दा मकबरा अते मसजिद

آفیسر قبر اور مسجد

मकबरे का प्रवेशद्वार

वैसट गोट (पॅछमी गोट)

مقبرے کا داخلہ

चार-बाग

चहर बागा (चारबाग़ा)

چارباغ

हुमायूँ का मकबरा

हुमायूँ दी कबर

مقبرہ ہمایوں

अक्षरधाम मंदिर

सवामीनारायन अकष्ररधाम

اکشردھام

गांधी स्मृति

गांधी समृिती अजाइब घर

گاندھی سمرتی

カーン・マーケット
Khan Market

खान मार्किट

ਖਾਨ ਮਾਰਕੀਟ

خان مارکیٹ

ローディー公園
Lodi Garden

लोधी उद्यान

ਲੋਧੀ ਗਾਰਡਨ

لودھی باغ

シカンダル・シャー・ローディー廟
Tomb of Sikandar Shah Ludhi

सिकंदर लोदी का मकबरा

ਸਿਕੰਦਰ ਸ਼ਾਹ ਲੋਧੀ ਦਾ ਮਕਬਰਾ

سکندر لودی کا مقبرہ

ムバラク・シャー・サイイド廟
Tomb of Mubarak Shah Saiyid

मुबारक शाह सैयद का मकबरा

ਮੁਬਾਰਕ ਸ਼ਾਹ ਸਜੀਦ ਦਾ ਮਕਬਰਾ

مبارک شاہ سید کا مقبرہ

ローディー・コロニー
Lodhi Colony

लोधी कॉलोनी

ਲੋਧੀ ਕਲੋਨੀ

لودھی کالونی

チベット・ハウス
Tibet House

तिब्बत हाउस संग्रहालय

ਤਿੱਬਤ ਹਾਉਸ

تبت ہاؤس

サイババ寺院
Sai Baba Mandir

साईं बाबा मंदिर

ਸਾਈਂ ਬਾਬਾ ਮੰਦਰ

سائی بابا مندر

サフダル・ジャング廟
Tomb of Safdar Jang

सफदरजंग का मकबरा

ਸਫਦਰ ਜੰਗ ਦਾ ਮਕਬਰਾ

صفدرجنگ کا مقبرہ

INAマーケット
INA Market

आईएनए मार्किट
ਆਈ ਐਨ ਏ ਮਾਰਕੀਟ
آئی این اے مارکیٹ

ディッリー・ハート
Dilli Haat

दिल्ली हाट
ਦਿੱਲੀ ਹਾਟ
دہلی ہاٹ

ジャガンナート寺院
Shri Jagannath Mandir

श्री जगन्नाथ मंदिर
ਸ੍ਰੀ ਜਗਨਨਾਥ ਮੰਦਰ
جگناتھ مندر

ナジャフ・ハーンの墓
Najaf Khan Tomb

नजफ खान का मकबरा
ਨਜਫ ਖਾਨ ਕਬਰ
نجف خان کا مقبرہ

ネルー記念博物館
Nehru Museum

नेहरु संग्रहालय
ਨਹਿਰੂ ਅਜਾਇਬ ਘਰ
نہرو میموریل میوزیم

チャナキャプリ
Chanakyapuri

चाणक्यपुरी
ਚਾਣਕਜਾਪੁਰੀ
چانکیاپوری

国立鉄道博物館
National Rail Museum

राष्ट्रीय रेल संग्रहालय
ਰੇਲ ਅਜਾਇਬ ਘਰ
نیشنل ریل میوزیم

バトゥク・バイラヴ寺院
Shree Batuk Bhairav Temple

श्री बटुक भैरव मंदिर
ਭੈਰਵ ਮੰਦਰ
بھیرواہ مندر

サロジニ・ナガル・マーケット
Sarojini Nagar Market

सरोजिनी नगर मार्किट

ਸਰੋਜਿਨੀ ਨਗਰ ਮਾਰਕੀਟ

سروجنی نگر مارکیٹ

リング・ロード
Ring Road

मुद्रिका मार्ग

ਰਿੰਗ ਰੋਡ

رنگ روڈ

インド

N

0km					2000km

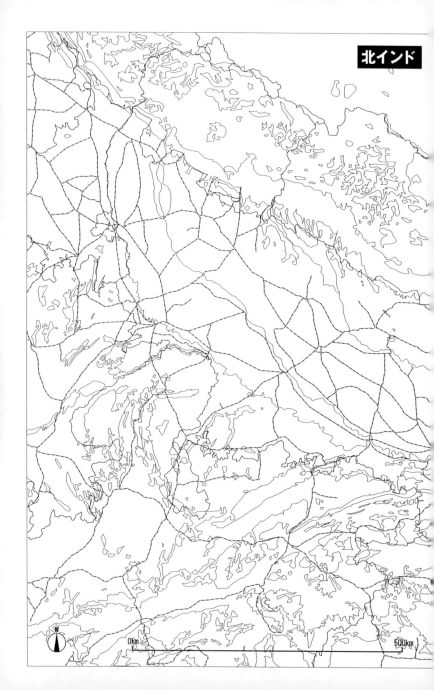

北インド

0km　　　　　　　　　　　　　　　　　　　　　　　500km

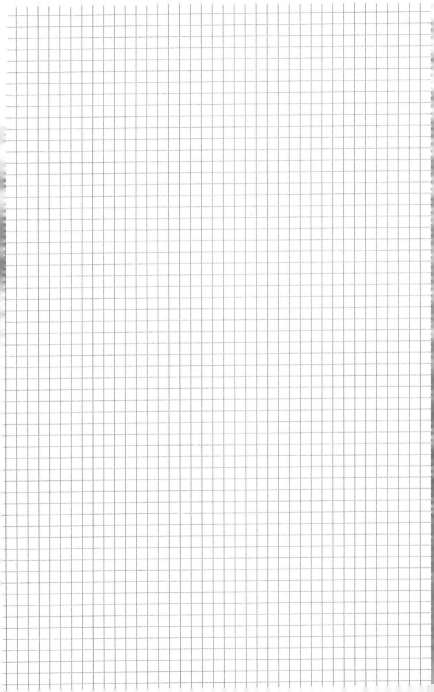

デリー

0km 10km

N

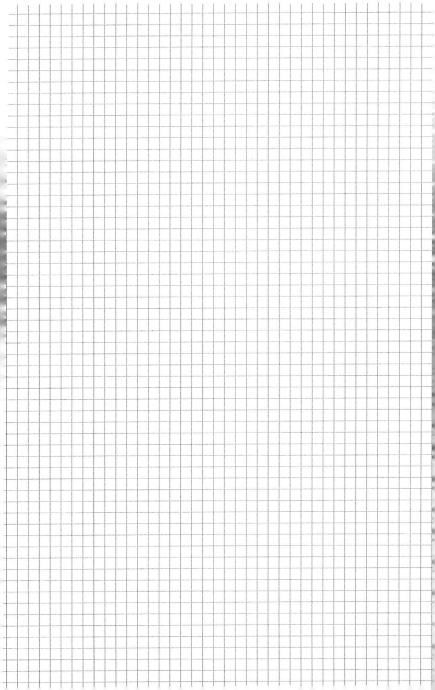

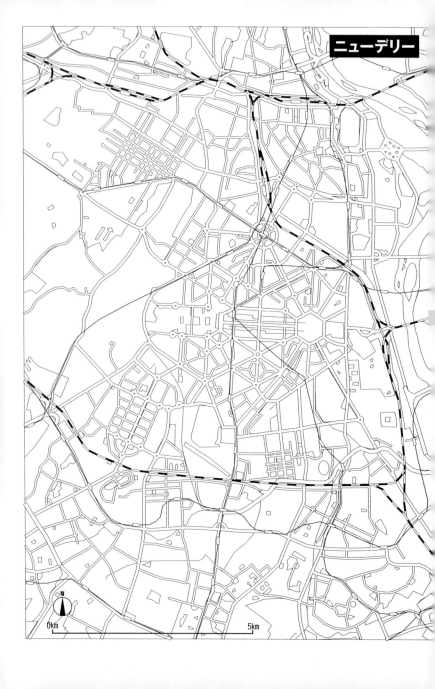

ニューデリー

0km　　　　　　　　　　　5km

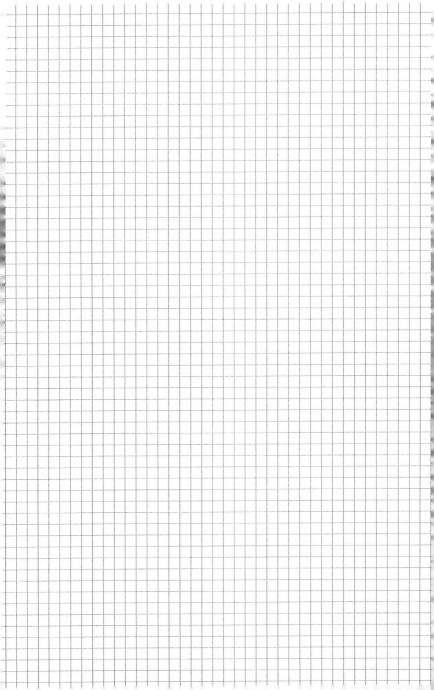

カロルバーグ

N

0km   2km

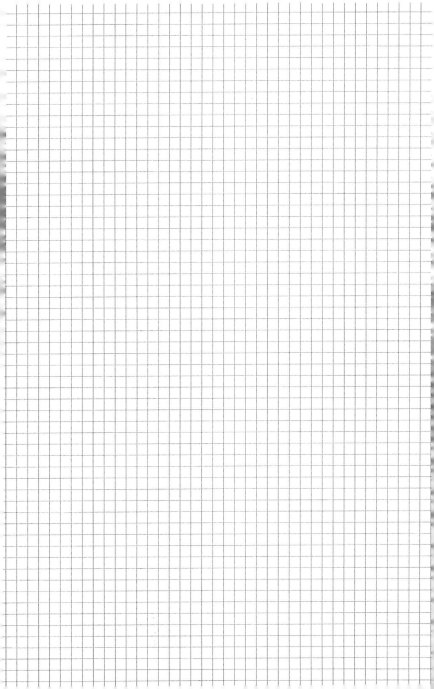

パハールガンジ

0km　　　　　　　　　　　　　　　　　　　　　　　1km

N

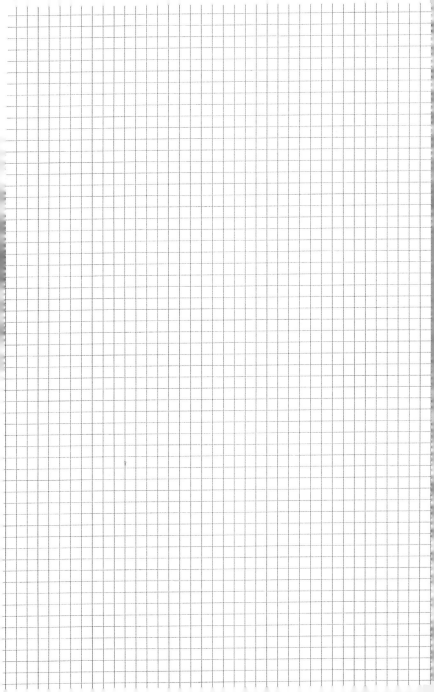

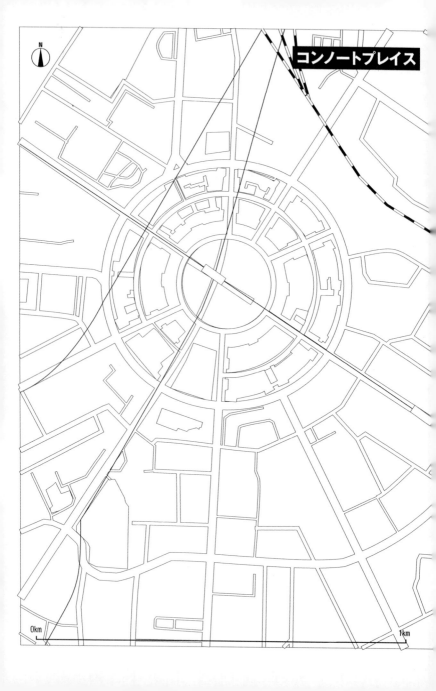

コンノートプレイス

0km   1km

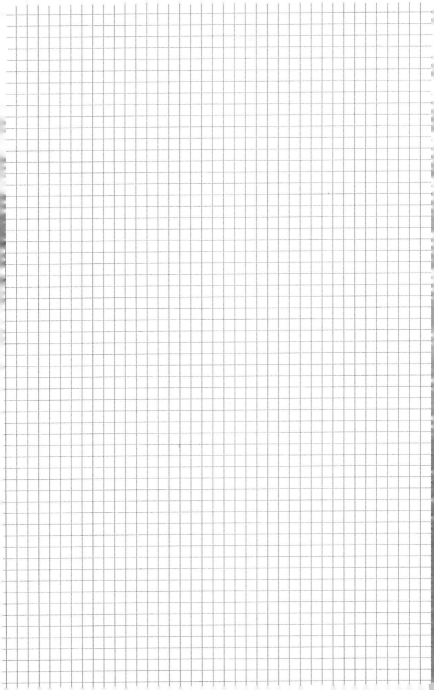

コンノートプレイス拡大

N

0m 300m

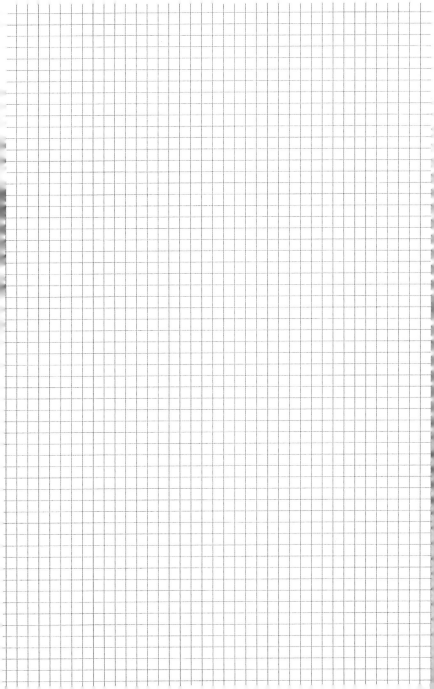

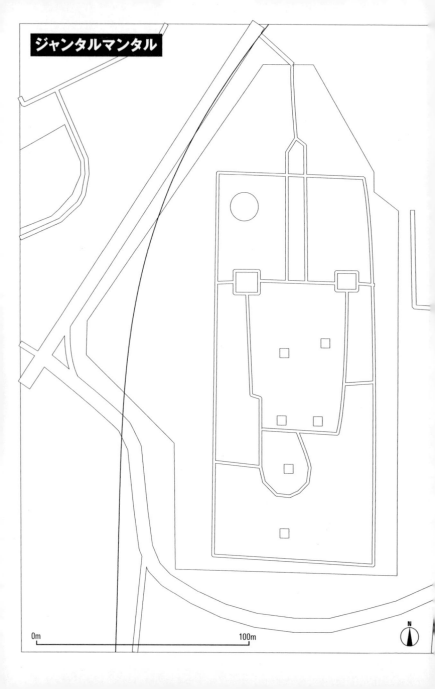

ジャンタルマンタル

0m   100m

N

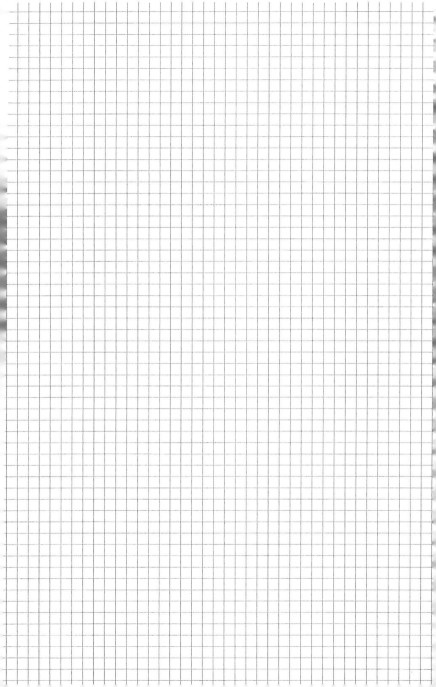

シヴァジースタジアム

0km 2km

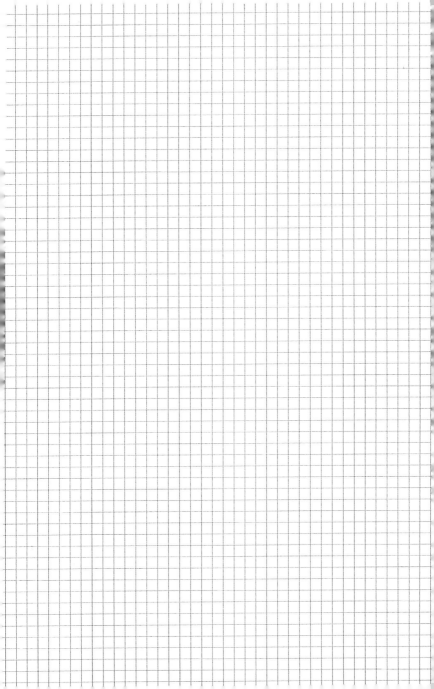

バングラサーヒブ寺院

0km   1km

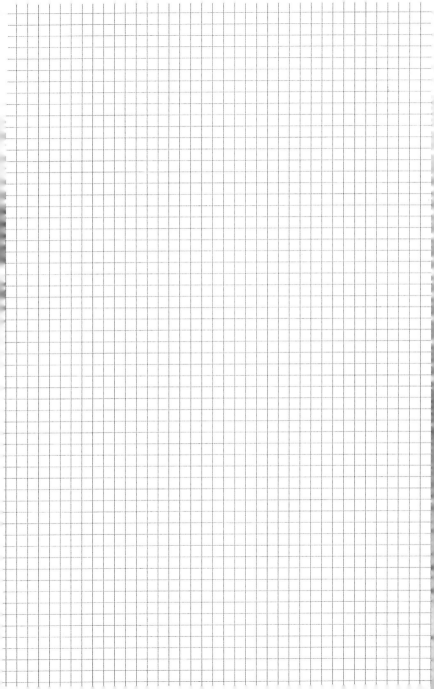

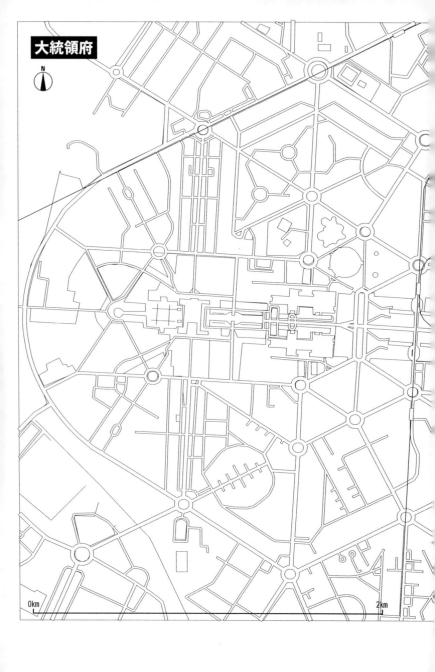

大統領府

N

0km   2km

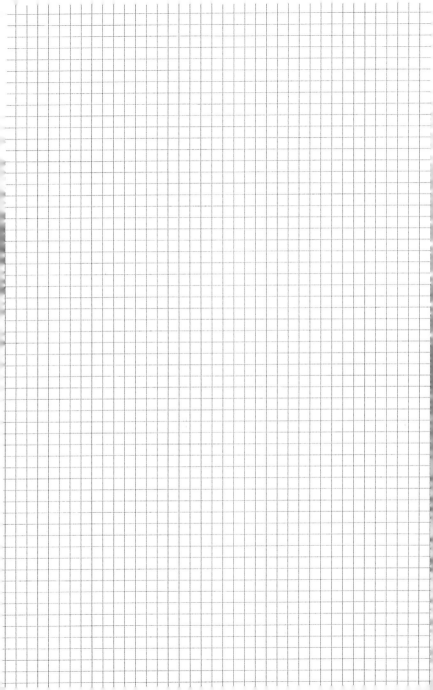

インド門

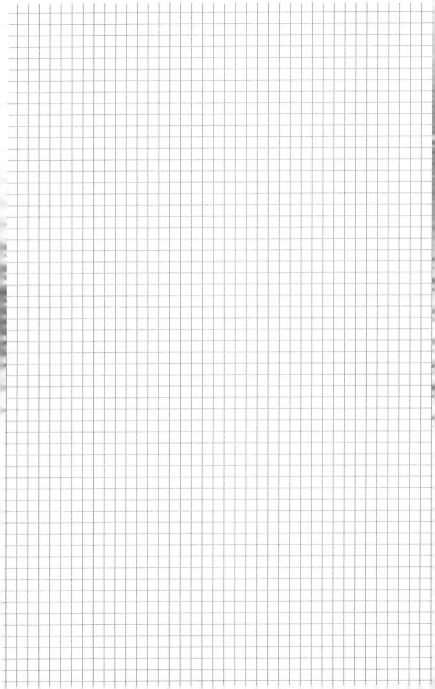

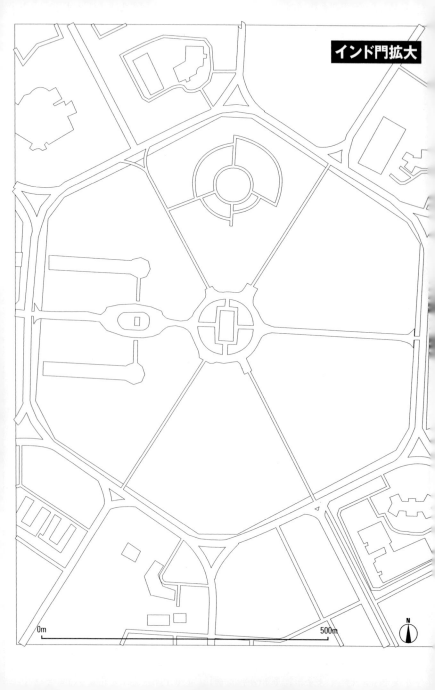

インド門拡大

0m   500m

N

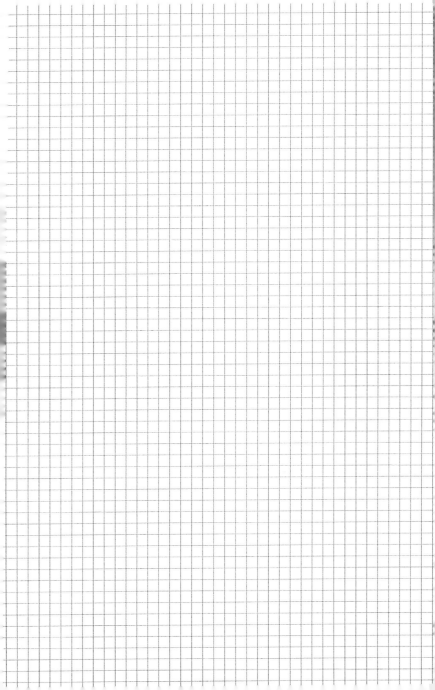

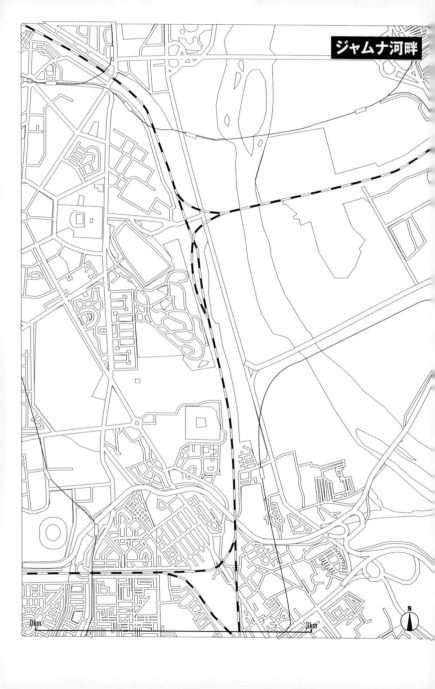

ジャムナ河畔

0km   3km

N

プラーナキラ

0km   1km

N

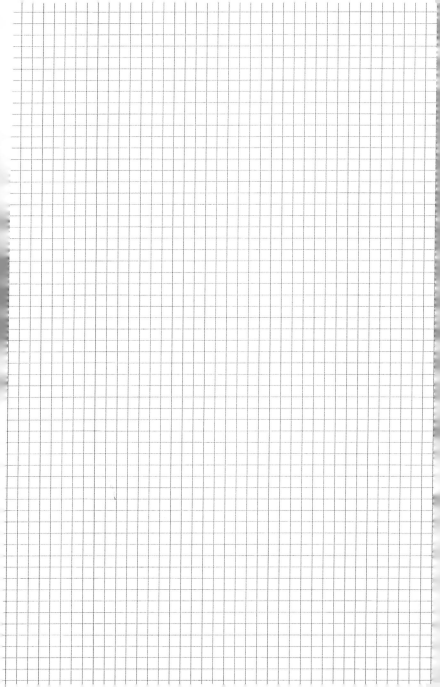

プラーナキラ拡大

0m   500m

N

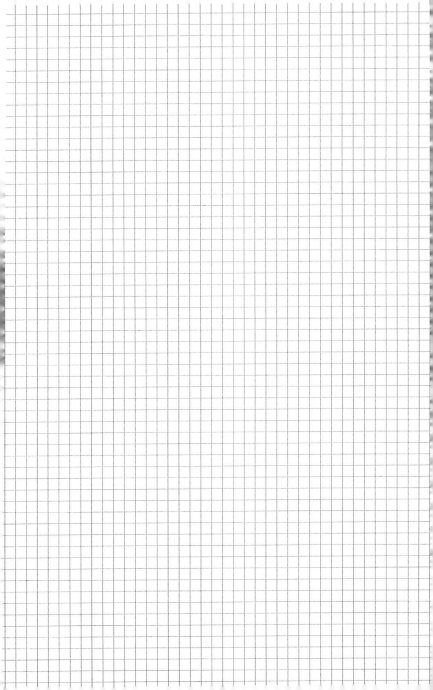

ニザームッディーン

0m   300m

N

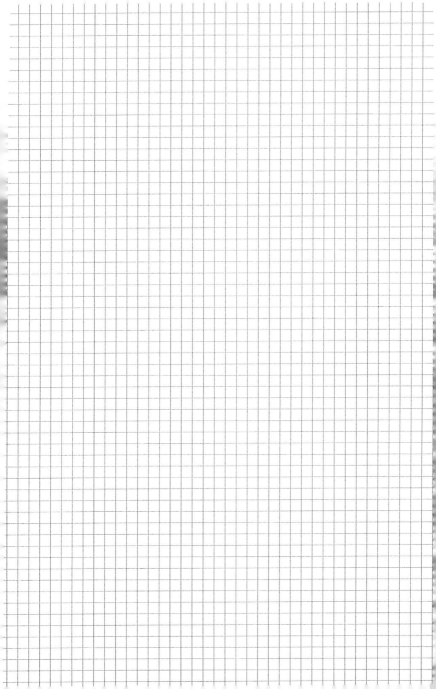

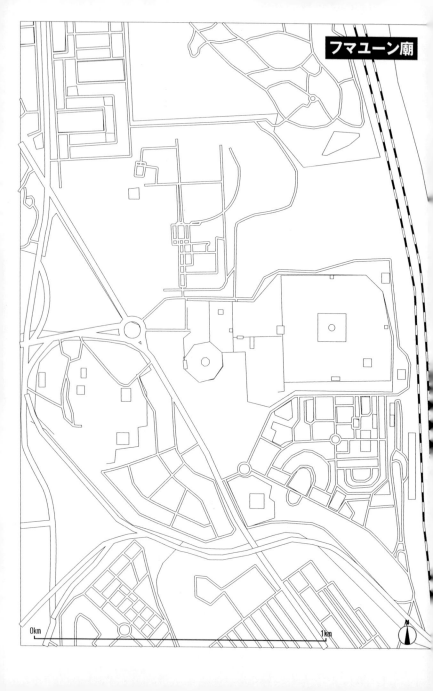

フマユーン廟

0km　　　　　　　　　　　　　　　　　　　1km

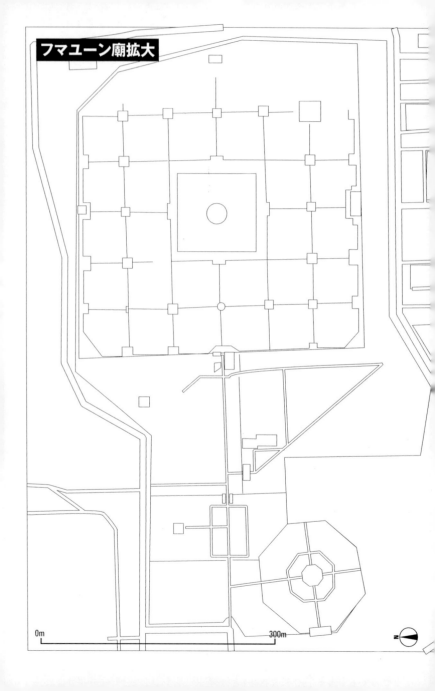

フマユーン廟拡大

0m　　　　　　　　　　　　　　　　300m

N

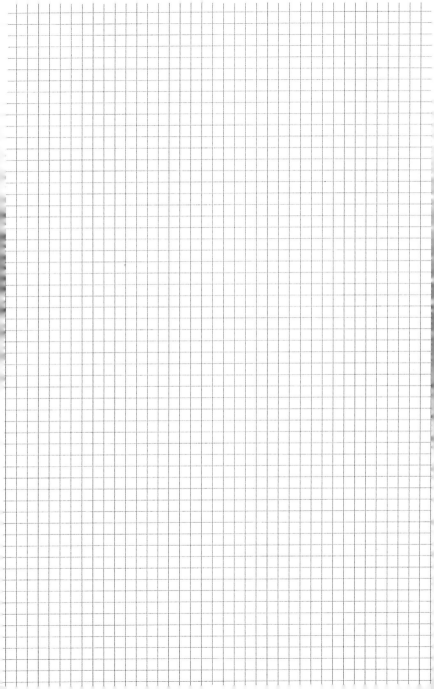

スワミナラヤン
アクシャルダム

0km   3km

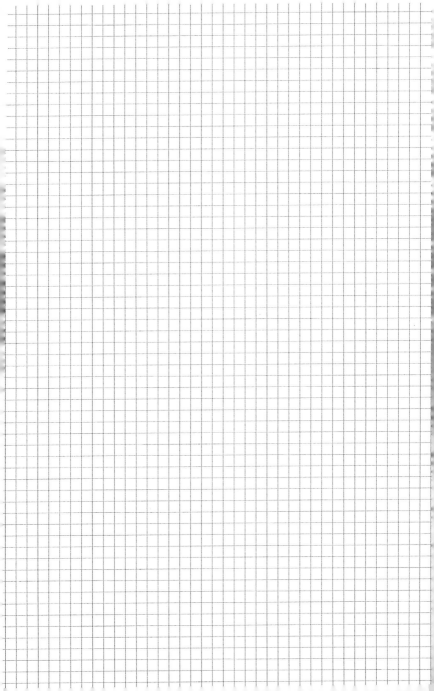

スワミナラヤン
アクシャルダム拡大

N

0m   500m

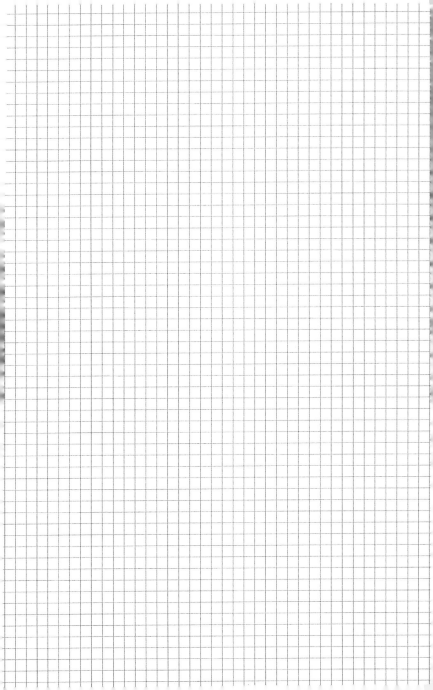

ロ一ディ一公園

0km   2km

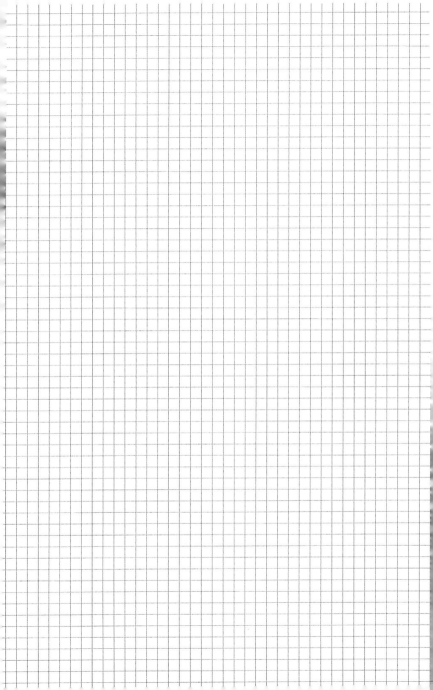

カーンマーケット

0m   300m

ローディー公園拡大

N

0m   500m

INAマーケット

N

0km   1km

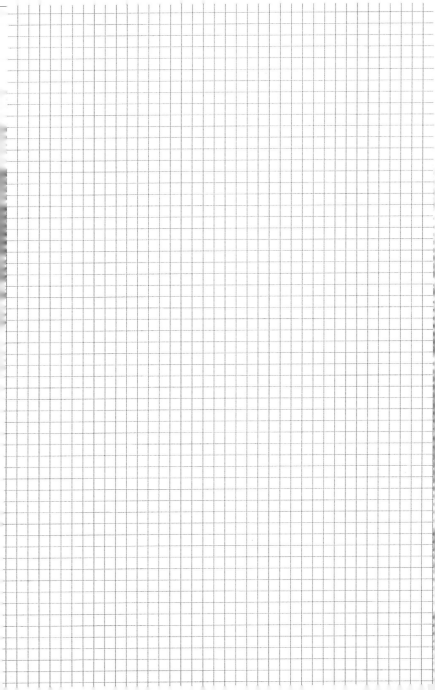

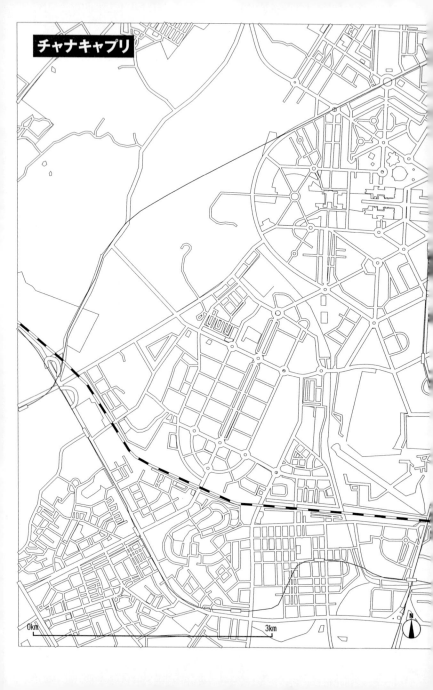

チャナキャプリ

0km ⎯⎯⎯⎯ 3km

N

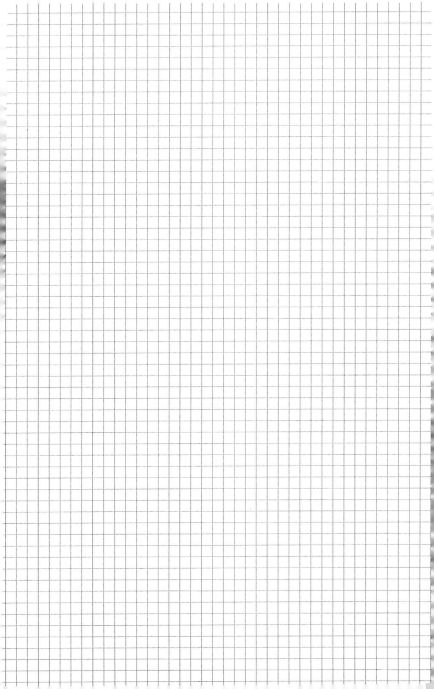

チャナキャプリ拡大

N

0km 1km

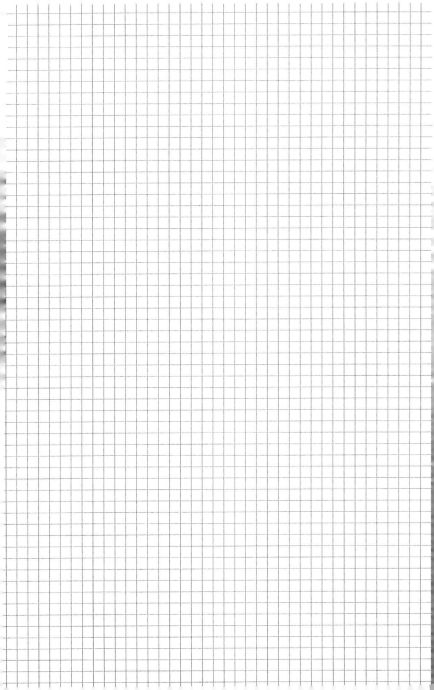

【車輪はつばさ】
南インドのアイラヴァテシュワラ寺院には
建築本体に車輪がついていて
寺院に乗った神さまが
人びとの想いを運ぶと言います

An amazing stone wheel of the Airavatesvara Temple
in the town of Darasuram, near Kumbakonam in the South India

まちごとインド
北インド 004

ニュー・デリー
15億人へ向かうインドの「首都」
［モノクロノートブック版］

「アジア城市（まち）案内」制作委員会
まちごとパブリッシング
http://machigotopub.com

・本書はオンデマンド印刷で作成されています。
・本書の内容に関するご意見、お問い合わせは、発行元の
　まちごとパブリッシング info@machigotopub.com までお願いします。

まちごとインド
新版 北インド004ニュー・デリー
〜15億人へ向かう「インドの首都」

2020年 8月15日　発行

著　者　　「アジア城市（まち）案内」制作委員会
発行者　　赤松　耕次
発行所　　まちごとパブリッシング株式会社
　　　　　〒181-0013　東京都三鷹市下連雀4-4-36
　　　　　URL http://www.machigotopub.com/
発売元　　株式会社デジタルパブリッシングサービス
　　　　　〒162-0812　東京都新宿区西五軒町11-13
　　　　　清水ビル3F
印刷・製本　株式会社デジタルパブリッシングサービス
　　　　　URL http://www.d-pub.co.jp/

MP314